Bunt ist die Welt und unser Gott

MATERIALIEN ZUR GEMEINDEARBEIT

- Kleinkinder
- ■ Kinder
- Jugendliche
- Familien
- Senioren

Bibliographische Information Der Deutschen Bibliothek

Die Deutsche Bibliothek verzeichnet diese Publikation in der Deutschen Nationalbibliografie; detaillierte bibliografische Daten sind im Internet über http://dnb.ddb.de abrufbar.

1. Auflage
Umschlag, Typografie und Herstellung:
Dieter Kani, Stuttgart
Illustrationen: Dorothea Layer-Stahl
Druck und Bindearbeiten:
fgb freiburger graphische betriebe, Freiburg i. Br.

ISBN 3-7797-0530-3 (Verlag Junge Gemeinde)
ISBN 3-460-25009-7 (Verlag Kath. Bibelwerk)

Charlotte Altenmüller und Achim Pantle (Hg.)

Bunt ist die Welt und unser Gott

Mit 4–7-Jährigen den Glauben feiern in Kindergarten und Gottesdienst

Verlag Junge Gemeinde

Verlag Katholisches Bibelwerk

Inhalt

Verzeichnis der Lieder

(Genannt sind hier nur die Lieder, die in diesem Buch abgedruckt sind, nicht aber jene, auf die nur verwiesen wird.)

Abkürzungen:

EG Evangelisches Gesangbuch
GL Gotteslob, Katholisches Gesangbuch
KG Das Kindergesangbuch, Claudius Verlag, München
LJ Liederbuch für die Jugend, Gütersloher Verlagshaus, Gütersloh
SL Schwerter Liederbuch »Singt dem Herrn«, Verlag BDKJ, Paderborn

Vorwort

»Bunt ist die Welt und unser Gott« – Dieser Satz steht für den Reichtum und die Farbigkeit, mit denen die Bibel und die christliche Tradition von Gott erzählen. Dieser Satz meint ebenso die vielfältige Art und Weise, wie Menschen heute Erfahrungen mit dem Glauben machen, bunte Erfahrungen. Und zugleich werden hier Gott und Welt eng zusammen gerückt, so eng, dass sie sich geheimnisvoll durchdringen. Ganz so, wie es Kinder selbstverständlich und alltäglich empfinden. Ganz so, wie wir Erwachsene gerne öfter empfinden würden ...

Reichtum, Farbigkeit und Vielfalt von Gott und Welt werden sichtbar, wo Menschen miteinander Glauben teilen, wo Geschichten weitererzählt und Gedanken aus ihnen geboren werden. Besonders dort, wo miteinander gefeiert wird, erleben Kinder und Erwachsene, wie lebendig Gott bei uns wirkt.

Das vorliegende Buch bietet erprobte Modelle und vielfältige Anregungen, um den **Glauben mit 4- bis 7-jährigen Kindern zu feiern**. Die Beiträge sind bewusst so angelegt, dass sie sich gleichermaßen für die religionspädagogische Arbeit im **Kindergarten** wie für die Arbeit im **Kindergottesdienst** eignen. Die einzelnen Elemente können für die jeweilige Verwendung baukastenartig zusammengestellt werden. Viele Geschichten, Gebete und kreative Bausteine können auch Krabbelgottesdienste und Familiengottesdienste bereichern oder in der Grundschule Verwendung finden.

Im Blick auf den **Kindergottesdienst** kommt diese Veröffentlichung vor allem der Entwicklung in vielen Gemeinden entgegen, dass Kindergarten- und Vorschulkinder einen immer größeren Anteil der Kindergottesdienstgemeinschaft ausmachen.

Diese **Sammlung von Gestaltungsvorschlägen** ist aus dem Arbeitskreis »Die Kleinen im Kindergottesdienst« des Württembergischen Evangelischen Landesverbandes für Kindergottesdienst e.V. hervorgegangen. Dieser seit 1991 bestehende Arbeitskreis aus Pfarrerinnen und Pfarrern, Diakoninnen und Erzieherinnen verfasst regelmäßig Themeneinheiten und Grundsatzartikel für die Zeitschrift »Evangelische Kinderkirche«, die im Verlag Junge Gemeinde erscheint. Die in diesem Band vorgestellten Einheiten wurden dort in anderer Form schon einmal veröffentlicht. Sie haben sich inzwischen vielfach in der Praxis bewährt und wurden für die Reihe »Materialien zur Gemeindearbeit« völlig neu überarbeitet und ergänzt.

Die Auswahl beinhaltet **Themen** der christlichen Jahresfeste, der kirchlichen Tradition sowie problemorientierte Fragestellungen aus der Lebenswelt der Kinder. Sie wurde bewusst ökumenisch gehalten.

So ist hier eine Sammlung entstanden, die sich durch ihre **Praxisnähe** auszeichnet und versucht, in ihrer methodischen Vielfalt den neueren Entwicklungen in dem weiten Bereich von »Gottesdienst und Glauben feiern mit jüngeren Kindern« gerecht zu werden.

Charlotte Altenmüller
Achim Pantle

Das Kirchenjahr gestalten und feiern

Gott war immer da

Mit Kindern die Passion Jesu bedenken und feiern

Charlotte Altenmüller

Das Thema und die Kinder

Auch Kindern im Kindergartenalter kann und sollte in der Passionszeit vom Leiden und Tod Jesu erzählt werden. Oft bringen die Kinder dabei Vorwissen oder Vorerfahrungen ein. Sie kennen zum Beispiel Kruzifixe, an denen ein leidender, sterbender Jesus zu sehen ist – vielleicht aus ihrer eigenen Kirche. Andere Kinder können davon berichten, dass Jesus tot war und dann wieder lebte.

Bausteine zur Gestaltung

Die folgenden Erzählungen mit einfachem Bodenbild und Gebeten sind ein Vorschlag, wie das Thema »Passion und Tod Jesu« in diesem Alter zur Sprache kommen kann. Der Entwurf ist durch die Dreiteilung der Erzählung auf drei Kindergottesdienste bzw. Einheiten im Kindergarten angelegt. Es ist aber auch gut möglich, sie im Kindergarten in vier bis sechs Abschnitten zu erzählen. In einem Kindergottesdienst am Karfreitag bietet es sich an, alle Geschichten abschnittweise hintereinander zu verwenden (gestaltet als eine Art Kinderkreuzweg).

■ Inhaltliche Überlegungen

Wie können wir Kindern vom Leiden und Tod Jesu erzählen? Mit der ganzen Passionsgeschichte aus den Evangelien sind die Jüngsten (und nicht nur sie) überfordert. Es handelt sich ja dabei um einen sehr vielschichtigen Vorgang, und allein schon der Gerichtsprozess gegen Jesus ist schwer zu verstehen. Grundsätzlich ist also immer eine Auswahl der Themen und Geschichten notwendig.

Im folgenden Vorschlag wurden Abschnitte aus der Passion Jesu unter dem Aspekt »Gott war immer da« ausgewählt. Dem Alter der Kinder entsprechend wird hier die Passionsgeschichte daraufhin erzählt, dass Jesus in seiner Leidenszeit und in seinem Sterben nicht alleine war. Es ist für die Kinder tröstlich zu hören, dass Jesus in all seinem schrecklichen Leiden und seinem Tod nicht von allen verraten und vergessen war.

Die drei Erzählteile greifen folgende Elemente der Passionsgeschichte auf:

Erzählung	Inhalt
1. Jesus im Garten Gethsemane	Jesus ist verzweifelt, doch ein Engel steht ihm bei
2. Jesus trägt das Kreuz nach Golgatha	Einer hilft Jesus, die Last des Kreuzes zu tragen
3. Jesus stirbt am Kreuz und wird begraben	Einer erweist dem toten Jesus einen letzten Dienst

Biblische Grundlage dafür sind die entsprechenden Abschnitte aus den Passionsberichten der Evangelien, in denen Jesus ein Engel Gottes oder Mitmenschen zur Seite gestellt sind, die sein Leid auf ihre Weise und entsprechend ihrer Möglichkeiten mittragen.

1) Im Lukasevangelium (Lukas 22,43) wird berichtet, dass Jesus im Garten Gethsemane ein **Engel** vom Himmel erschien und ihn in seiner Verzweiflung und Einsamkeit stärkte.

2) Auf dem Weg zum Hügel Golgatha, als Jesus unter der Last den Kreuzes litt, trug **Simon aus Kyrene** das Kreuz für ihn. Simon tat das nicht freiwillig. Es heißt, sie zwangen ihn, das Kreuz zu tragen. Aber trotz allem: Er trug es für Jesus. Und im Nachhinein hat er wohl begriffen, für wen er das getan hatte. In Markus 15,21 können wir lesen, dass er mit seiner ganzen Familie zu den Nachfolgern Jesu gehörte.
3) Alle vier Evangelien erzählen übereinstimmend davon, dass **Frauen**, die Jesus von Galiläa her gefolgt waren, bei der Kreuzigung, bei seinem Tod und der Grablegung – trotz ihrer Hilflosigkeit – da waren und bei Jesus blieben. Sie waren Zeuginnen des Geschehens.
4) Und auch von **Josef aus Arimathäa** berichten alle Evangelien. Dieser Mann tat das in seinen Möglichkeiten Stehende für den Gekreuzigten. Er erbat den Leichnam von Pilatus und sorgte für ein würdiges Begräbnis Jesu in einem Felsengrab.

■ Zur Gestaltung

In die Mitte oder vor den Kindern auf dem Boden, bzw. einem Tisch wird (auf einem *dunklen Tuch*) mit *zwei dicken Schnüren* ein Weg gelegt. Am Ende dieses Weges liegt ein *Kreuz*. Eine *Kerze* wird angezündet und an den Anfang des Weges gestellt. Sie wird während der Geschichten immer wieder ein Stück auf dem Weg weiter gerückt, so dass sie bei der dritten Geschichte am Kreuz ankommt.

Materialliste für dieses einfache Bodenbild
Ein dunkles Tuch, eine dickere Schnur, eine Kerze, Streichhölzer, Blumen (echte oder aus Tonkarton), ein Kreuz aus Pappe, Stoff oder Holz (zu den Materialien s. Bezugsadresse S. 112).

1. Jesus im Garten Gethsemane

(Während dieser Erzählung wird die Kerze schrittweise etwa ein Drittel des Weges Richtung Kreuz gerückt. Wenn der Engel in der Geschichte auftritt, wird an dieser Stelle neben die Kerze eine Blume gelegt.)

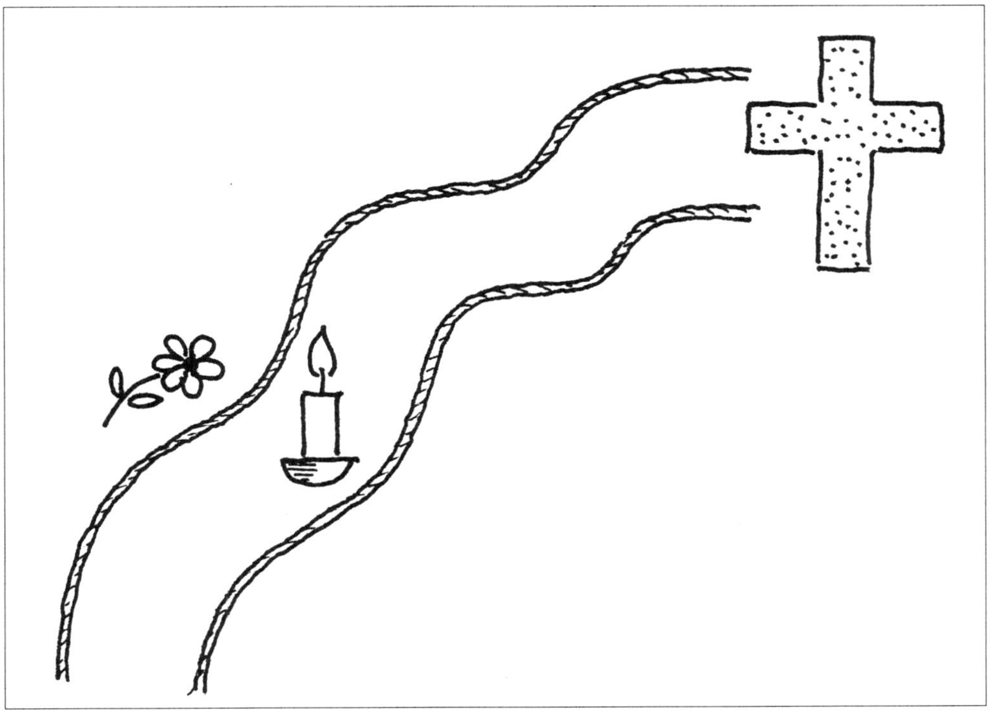

Bild 1:
Kerze nach einem Drittel des Weges, Blume daneben, Kreuz oben

Die Geschichte

Erzählung: Jesus ist verzweifelt, doch ein Engel steht ihm bei

(Die Kerze wird an den Beginn des Weges gestellt und angezündet.)

Jesus sitzt am Abend mit seinen Jüngern zusammen in Jerusalem. Es ist ein Feiertag – das Passafest. Sie essen und trinken miteinander. Die Jünger erinnern sich daran, wie sie mit Jesus vor ein paar Tagen nach Jerusalem gekommen waren. »Das war ja ein Empfang!«, sagen die Jünger zueinander. »Die vielen Menschen, die Jesus zujubelten als er in die Stadt geritten kam! Mit Palmzweigen haben sie gewinkt. Wie ein König wurde er begrüßt.« Die Jünger sind froh. Vielleicht würde Jesus ja doch bald auf einem Königsthron sitzen und über die ganze Stadt, ja, das ganze Land regieren. Sie haben vergessen, dass Jesus gesagt hat: »Ich bin kein König, wie ihr euch das vorstellt. Ich werde viel leiden müssen.« Doch Jesus erinnert sie daran, als sie miteinander am Tisch sitzen. »Heute müssen wir voneinander Abschied nehmen«, sagt er. »Einer hat mich verraten. Bald werden sie mich verhaften.« Die Jünger sind erschrocken. Wer kann so etwas tun?

Da nimmt Jesus das Brot und den Wein, dankt Gott dafür und gibt den Jüngern davon. Und er sagt: »Feiert dieses Mahl immer wieder. Esst und trinkt gemeinsam. Und denkt dabei daran, was ich für euch getan habe. Dann spürt ihr, dass ich bei euch bin, auch wenn ihr mich nicht seht.« Da wissen die Jünger, dass sie von Jesus Abschied nehmen müssen und sie werden sehr traurig. Als sie mit dem Essen fertig sind, ist es schon dunkel draußen. Jesus geht mit seinen Jüngern zu einem Garten vor der Stadt.

(Die Kerze wird weitergerückt.)

Am Eingang des Gartens lässt er seine Jünger zurück und sagt zu ihnen: »Bleibt hier, wacht und betet zu Gott.« Jesus geht alleine in den Garten hinein. Er hat große Angst vor dem, was kommen wird. Er betet mit all seiner Kraft zu Gott: »Vater, ich will nicht leiden und sterben! Ich fürchte mich so sehr!« Ganz alleine ist Jesus im Garten Gethsemane und er weint und ist sehr verzweifelt. Da kommt ein Engel Gottes, stellt sich neben Jesus und stärkt ihn in dieser schlimmen Stunde.

(Eine Blume wird neben die Kerze gelegt.)

Am Ende seines Betens sagt Jesus zu Gott: »Vater, nicht was ich will soll geschehen, sondern was du willst.« Als Jesus aus dem Garten zu seinen Jüngern zurückkommt, liegen diese am Boden und schlafen. Jesus weckt sie und sagt: »Wacht auf. Jetzt kommen sie und werden mich verhaften.« Und wirklich – da kommen Soldaten mit Fackeln und Schwertern. Bei ihnen ist der Verräter. Er zeigt den Soldaten, wer Jesus ist. Seine Jünger fliehen voller Angst. Die Soldaten aber packen Jesus und führen ihn durch die Dunkelheit in die Stadt zurück.

(Die Kerze wird noch einmal weitergerückt. Die Blume bleibt liegen.)

Gebet nach der Geschichte

(Wenn die Geschichte erzählt wurde, lassen wir die Kerze brennen und beten miteinander.)

Guter Gott, wir haben gehört,
wie Jesus mit seinen Jüngern das letzte Mal zusammen war.
Sie haben miteinander gegessen, sie haben miteinander geredet und gefeiert.
Sie waren gerne zusammen an diesem Abend.
Aber einer der Freunde hat Jesus verraten.

Jesus wusste das, und er hatte große Angst vor dem,
was mit ihm passieren würde.
Deshalb weinte er im Garten Gethsemane, als er zu dir betete.
Guter Gott, du hast ihm einen Engel geschickt,
so dass Jesus seine Verzweiflung tragen konnte
und in seiner großen Angst nicht alleine war.
Wir bitten dich, Gott, sei du bei allen Menschen, die verzweifelt sind,
und schicke einen tröstenden Engel denen, die große Angst haben.
Amen.

2. Jesus trägt das Kreuz nach Golgatha

(Wieder legen wir den Weg mit der Schnur und dem Kreuz auf das Tuch. Zusammen mit den Kindern erinnern wir uns an die Geschichte vom letzten Mal. Dabei rücken wir die brennende Kerze vom Anfang über das erste Drittel des Weges und legen, sobald vom Engel Gottes die Rede ist, eine Blume neben die Kerze. Während der folgenden Geschichte wird die Kerze dann über das zweite Drittel des Weges weiter gerückt.)

Erzählung: Einer hilft Jesus, die Last des Kreuzes zu tragen

Die Geschichte

Früh am nächsten Morgen ist es noch ruhig in den Gassen von Jerusalem. Nur eine kleine Gruppe von Menschen ist unterwegs. Vorneweg einige römische Soldaten. Dann folgt Jesus. Sie haben ihm einen schweren Holzbalken auf die Schultern gelegt. Er kann ihn kaum tragen, immer wieder fällt er zu Boden. Hinter ihm geht ein römischer Hauptmann. Auch einige Frauen folgen ihm, scheu und ängstlich, ihre Köpfe in dunkle Tücher gehüllt.
Die Gruppe kommt nur langsam voran. Jesus hat keine Kraft mehr, den Balken für das Kreuz zu tragen. Die ganze Nacht ist er verhört worden, geschlagen haben sie ihn und verspottet. Wieder fällt Jesus zu Boden.

(Die Kerze wird ein Stück weiter gerückt.)

Da sieht der Hauptmann einen jungen Mann am Straßenrand. »Hier her! Komm her!«, schreit der Hauptmann ihn an. Zögernd kommt der Mann näher. »Wie heißt du?«, fragt ihn der Hauptmann. »Ich heiße Simon von Kyrene.« – »Da, nimm du ihm den Kreuzbalken ab. Trag du ihn hinauf auf

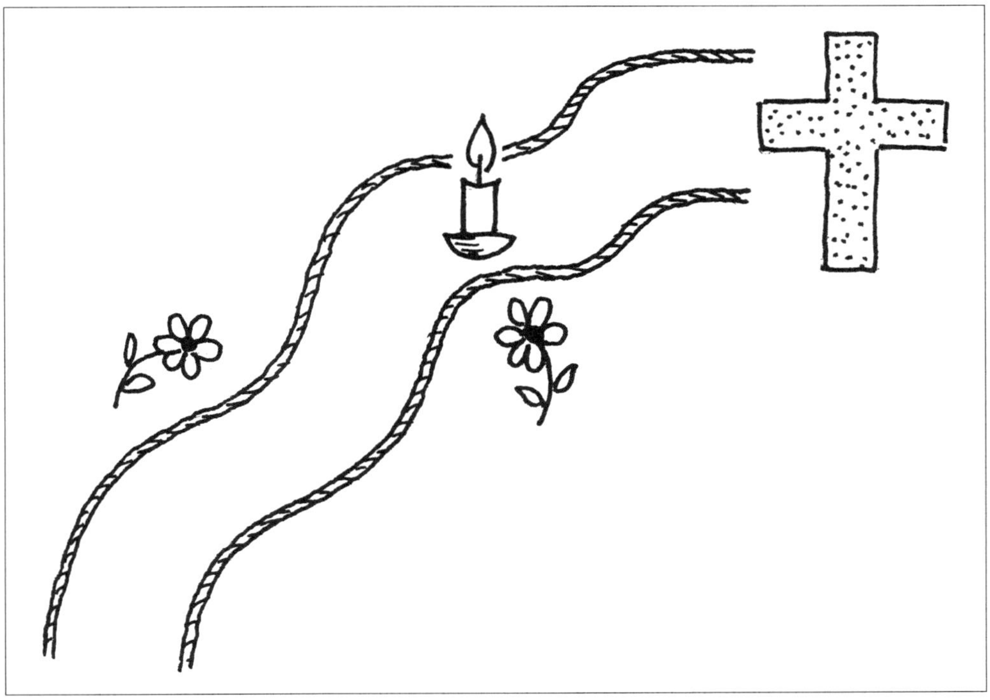

Bild 2:
Kerze nach zwei Dritteln des Weges, zwei Blumen, Kreuz oben

den Hügel Golgatha. Er kann nicht mehr.« Simon zeigt auf Jesus: »Was hat er denn getan, dass er da hinauf muss? Warum soll er gekreuzigt werden?« – »Er hat sich als König der Juden aufgespielt!«, sagt ein anderer Soldat. »Los jetzt! Nimm den Balken!« Simon hebt den schweren Holzbalken auf seine Schultern. Mühsam steht Jesus auf und sie gehen langsam weiter. Simon von Kyrene trägt das Kreuz für Jesus.

(Eine zweite Blume wird neben die Kerze gelegt.)

Sie gehen durchs Stadttor hinaus – von hier ist der Hügel Golgatha gut zu sehen. *(Die Kerze wird noch ein Stück weitergerückt).*

Gebet nach der Geschichte

(Wenn die Geschichte erzählt wurde, lassen wir die Kerze brennen und beten miteinander.)

Guter Gott,
Jesus musste den schweren Holzbalken für sein Kreuz durch die Straßen von Jerusalem tragen.
Und dann konnte er nicht mehr. Sie hatten ihn geschlagen.
Sie hatten ihn ausgelacht.
Sie hatten ihn zum Tode verurteilt in der Nacht.
Auf dem Weg zur Kreuzigung fiel Jesus zu Boden.
Er war am Ende, er konnte nicht mehr.
Simon von Kyrene konnte Jesus nur wenig helfen.
Er konnte Jesus nicht befreien. Er konnte Jesus nicht stärken.
Aber er hat für ihn das Kreuz getragen.
Er ist mit Jesus gegangen auf diesem schweren Weg.
Wir bitten dich, guter Gott,
dass es viele Menschen auf der Welt gibt wie diesen Simon von Kyrene,
Menschen, die andere auf ihren schweren, verzweifelten Wegen begleiten,
dass sie nicht allein gelassen sind.
Amen.

3. Jesus stirbt am Kreuz und wird begraben

(Wieder legen wir den Weg mit der Schnur und dem Kreuz auf das Tuch. Zusammen mit den Kindern erinnern wir uns an die Geschichte der letzten Male. Dabei rücken wir die brennende Kerze auf dem Weg Station für Station vor und legen, wenn vom Engel Gottes und von Simon von Kyrene die Rede ist, jeweils eine Blume hin.
Während der folgenden Geschichte wird die Kerze auf dem letzten Drittel des Weges weiter gerückt, bis sie schließlich beim Kreuz am Ende des Weges steht.)

Die Geschichte

Erzählung: Einer erweist dem toten Jesus einen letzten Dienst

Vor den Mauern der Stadt Jerusalem liegt der Hügel Golgatha. Hier soll Jesus gekreuzigt werden. Der Stamm für das Kreuz ist schon in den Boden gerammt. Die Soldaten führen Jesus durch das Stadttor hinaus. Neben ihm gehen Simon von Kyrene, der den Kreuzbalken trägt, und dahinter der Hauptmann. Als sie den Hügel erreicht haben, ziehen sie Jesus die Kleider aus und nageln ihn ans Kreuz. *(Die Kerze wird ein Stück weitergerückt.)*

Die Soldaten verspotten Jesus: »Du hast doch so vielen Menschen geholfen – nun hilf dir auch selbst! Wenn du wirklich Gottes Sohn bist, kannst du das doch! Steig doch runter vom Kreuz!« Sie lachen Jesus aus. Am Rand des Hügels stehen Frauen. Sie sind den Weg mit Jesus herauf gegangen. Sie hören die Spottreden der Leute, sehen Jesus am Kreuz hängen und sind starr vor Entsetzen. Tränen fließen über ihre Gesichter. Da stehen sie. Helfen können die Frauen Jesus nicht. Aber sie sind bei ihm – und wenn er sie sieht, vielleicht tröstet es ihn. Jesus kennt sie gut. Sie sind seine Jüngerinnen. Sie haben gehört und nicht vergessen, wie Jesus von Gottes Liebe erzählt hat. Sie sind immer in seiner Nähe geblieben. Die Frauen haben Jesus in seiner Angst und Not nicht verlassen.

(Eine dritte Blume wird neben die Kerze gelegt.)

Es ist Mittagszeit. Die Sonne brennt heiß vom Himmel. Aber auf einmal wird es dunkel. Wie in der Nacht – mitten am Tag. Die, die eben noch Jesus verspottet haben, sehen mit starrem Blick zum Himmel. Große Angst kommt über sie. *(Die Kerze wird bis zum Kreuz gerückt.)*

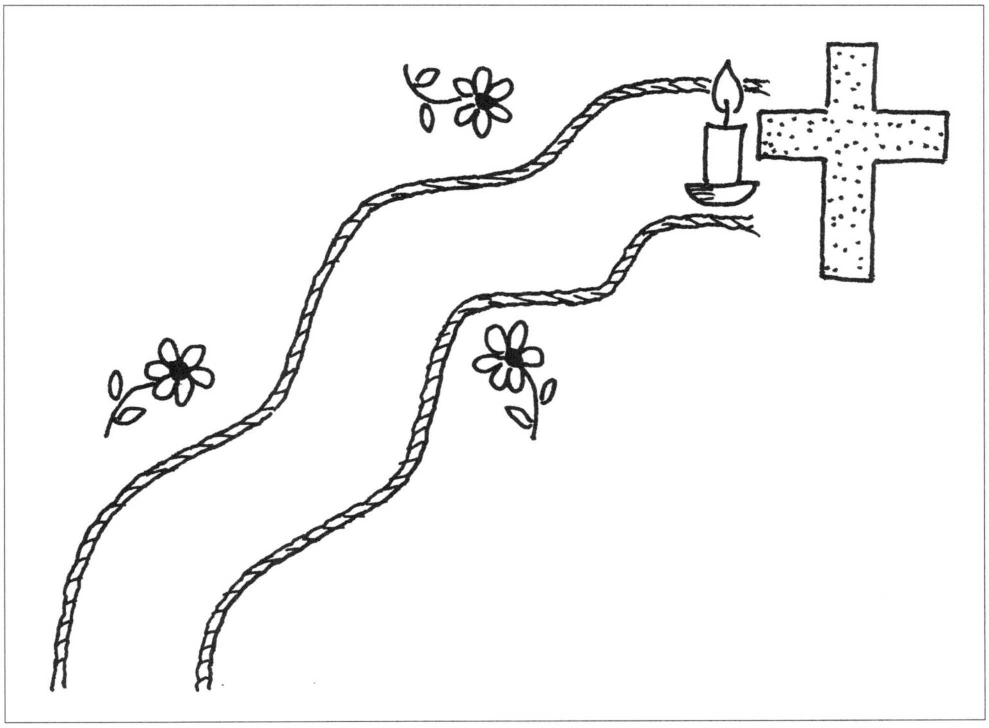

Bild 3:
Kerze beim Kreuz, drei Blumen entlang des Weges

Es bleibt lange Zeit dunkel – bis drei Uhr am Nachmittag. Jesus schreit am Kreuz mit lauter Stimme zu Gott und dann stirbt er.

(Die Kerze wird ausgeblasen.)

Mit großem Erschrecken schauen die Menschen auf Jesus. Da beginnt der ganze Hügel zu beben. Der Hauptmann ruft: »Was haben wir bloß getan! Wen haben wir da gekreuzigt, getötet? Es ist wahrhaftig Gottes Sohn gewesen!« Die Frauen nicken mit den Köpfen, der Hauptmann redet wahr. Nur wenige haben es begriffen.

Am Abend dieses Tages kommt ein reicher Mann, Josef von Arimathäa, auf den Hügel Golgatha. Er sagt zu dem Hauptmann: »Ich habe die Erlaubnis bekommen, dass ich Jesus in meinem Grab begraben darf.« Mit seinen Helfern nimmt er den toten Jesus vom Kreuz. Sie wickeln ihn in ein sauberes Leinentuch und tragen ihn in einen nahe gelegenen Garten. Dort hat Josef für sich und seine Familie ein Felsengrab gekauft. Die Frauen gehen auch mit. Sie sehen, wie Josef dort Jesus in die Grabhöhle legt.

(Eine vierte Blume wird neben die Kerze gelegt.)

(**Bild 4** – siehe nächste Seite oben)

Bild 4:
Kerze aus, vierte Blume zum Kreuz

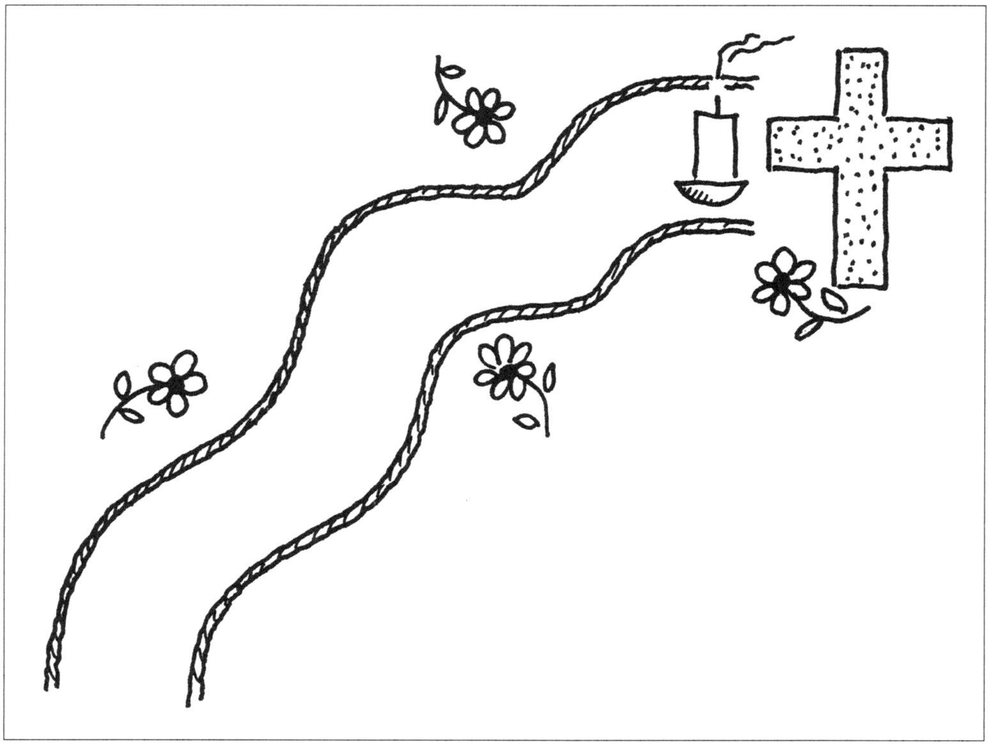

Mit einem seiner Helfer rollt er dann einen schweren Stein vor den Eingang des Grabes. »Nun ist das Grab verschlossen«, sagt Josef zu den Frauen. »Bald werden Soldaten kommen, und das Grab bewachen.« Dann geht Josef nach Hause. Und auch die Frauen gehen heim. Es gibst nichts mehr, was sie jetzt noch für Jesus tun können. Doch sie wissen, wo sein Grab liegt. Übermorgen in aller Frühe wollen sie wiederkommen.

Gebet nach der Geschichte

(Wenn die Geschichte erzählt wurde, beten wir miteinander.)

Guter Gott,
Jesus wurde von den Soldaten ans Kreuz geschlagen und starb dort.
Die Frauen, die in der Nähe standen, waren Freundinnen von Jesus.
Sie konnten nichts für Jesus tun. Sie waren sehr verzweifelt.
Sie konnten nicht verhindern,
dass Jesus gekreuzigt, verspottet und getötet wurde.
Aber trotzdem waren sie da bei Jesus. Sie liefen nicht davon.
Jesus war nicht alleine, als er starb.
Auch Josef von Arimathäa konnte Jesus nicht helfen.
Aber er wollte trotzdem etwas für ihn tun – und er legte Jesus in sein Grab.
So tat dieser Mann, was er konnte, für Jesus.
Guter Gott, auch wenn man oft nur wenig tun kann,
ist es gut, einem Menschen in seiner Verzweiflung, in seinem Leiden
beizustehen und ihn nicht alleine zu lassen.
Wir bitten dich, Gott, lass keinen Menschen alleine – auch wenn er stirbt.
Amen.

Als Jesus gestorben war

Text: Rolf Krenzer
Musik: Peter Janssens
aus: »Kommt alle und seid froh«, 1982

2. Als Jesus gestorben war, da war die Welt so leer.
Die Großen und die Kleinen, die konnten nur noch weinen.
Sie hatten ihn nicht mehr.
Die Großen und die Kleinen, die konnten nur noch weinen.
Sie hatten ihn nicht mehr.

3. Als Jesus auferstanden war, besiegte er den Tod.
Ihr Großen und ihr Kleinen, ihr braucht nicht mehr zu weinen,
vorbei ist alle Not.
Ihr Großen und ihr Kleinen, ihr braucht nicht mehr zu weinen,
vorbei ist alle Not.

Das Lied »Als Jesus gestorben war« kann man leicht lernen und gut miteinander singen.

Sehr eindrücklich sind die drei zur Passionsgeschichte gehörenden *Bilder von Eva Bruchmann* in: Wilfried Pioch, Die neue Kinderbibel, Agentur des Rauhen Hauses, Hamburg (Seite 135, 137 und 140). Sie eignen sich für die Kinder sehr gut zum Anschauen zu den oben erzählten Geschichten.

Aus Trauer wird Freude

Mit Kindern Ostern feiern

Iris Lang

Das Thema und die Kinder

Was an Ostern bei den Jüngerinnen und Jüngern Jesu geschehen ist, dazu haben auch schon 4-7-Jährige ihre Erfahrungen: Es ist der Weg von der Trauer zur Freude.
Bei diesem Weg geht es aus der Erfahrungswelt der Kinder um:
— Abschied nehmen, traurig sein auf Grund von Trennung,
— Trost finden, getröstet werden, nicht allein gelassen sein,
— sich wieder freuen können und davon singen und tanzen.

Bausteine zur Gestaltung

Bei dem folgenden Vorschlag wird die Ostergeschichte nicht nur erzählt, sondern auch durch eigene Körpererfahrungen erlebt. Dabei begleiten die Mitmachlieder *»Ich bin traurig und allein«* und *»Jesus lebt, ich freue mich«* den Weg von der Trauer zur Osterfreude.

■ Inhaltliche Überlegungen

In der ersten Einheit wird die Geschichte vom Umzug eines Mädchens erzählt. Zwei Freundinnen erfahren dadurch eine schmerzliche Trennung. Die Geschichte betrifft die Kinder, denn sie hat mit ihren eigenen Erfahrungen und Gefühlen zu tun. Das Lied »Ich bin traurig und allein« bringt diese Stimmung zur Sprache.

In der zweiten Einheit wird die Ostergeschichte den Kindern erzählt. Damit die jüngeren Kinder nicht überfordert werden, ist die Erzählung dabei auf das Wesentliche zusammengefasst. Die Kinder sollen die Ostergeschichte nicht nur hören, sondern mit ihrem ganzen Körper erfassen.

In der dritten Einheit stehen die Spiellieder *»Ich bin traurig und allein«* und *»Jesus lebt, ich freue mich«* im Mittelpunkt. Die Lieder werden mit Steinen zusätzlich zum Klingen gebracht.

■ Zur Gestaltung

1. Einheit: Katrin zieht um

Einstieg

Das Geschenkpäckchen wird den Kindern gezeigt.
Es wird einmal im Kreis herumgegeben.
Die Kinder äußern sich: Was ist wohl in dem Päckchen drin? Warum wurde es mitgebracht?
Das Päckchen hat mit der Geschichte zu tun, die heute erzählt wird.
Es wird in die Mitte (z.B. auf ein farbiges Tuch) gelegt, die Erzählung beginnt.

Erzählung

Die Geschichte

Katrin und Ina sind gute Freundinnen. Sie sind fast gleich alt und wohnen sogar in derselben Straße. Morgens holt Katrin Ina ab und dann laufen sie zusammen zum Kindergarten. Katrin und Ina gehören zu den Großen im Kindergarten und nach den Sommerferien kommen sie zur Schule. Darauf freuen sie sich jetzt schon. In der Schule wollen sie unbedingt nebeneinander sitzen.

Jeden Tag spielen die beiden zusammen. Manchmal streiten Katrin und Ina auch, wenn Ina zum Beispiel immer die Bestimmerin sein will, oder wenn Katrin behauptet, dass sie viel schöner malen kann als Ina. Die beiden sind aber nie lange böse aufeinander, und der Streit ist schnell wieder vergessen.

Wenn Ina bei Katrin ist, dann schauen sie sich gerne Katrins Steinsammlung an. Katrin hat sich aus einem Schuhkarton eine Schatzkiste gebastelt. Darin liegen all ihre gesammelten Steine. Die meisten Steine hat sie im Wald oder am Bach gefunden. Auf einen Stein ist Katrin ganz besonders stolz. Dieser Stein glitzert und glänzt ganz golden. Katrins Vater hat ihn ihr einmal aus Spanien mitgebracht. Für jeden Stein denken sich Ina und Katrin einen Namen aus. Der goldene Stein heißt »Königsstein«.

Als Ina und Katrin heute zum Kindergarten gehen, schluchzt Katrin plötzlich los: »Ina, ich muss dir was Schlimmes erzählen. Meine Mutter hat mir gesagt, dass wir umziehen.«
Ina bleibt vor Schreck stehen. »Nein, das geht nicht«, ruft sie. »Du darfst nicht von hier wegziehen. Du bist meine Freundin und ich will in der Schule neben dir sitzen!« –
»Ich will ja auch nicht in einer anderen Stadt wohnen«, murmelt Katrin leise und Tränen kullern ihr aus den Augen. Traurig gehen die beiden weiter zum Kindergarten.

Am Tag vor dem Umzug besucht Ina Katrin ein letztes Mal. In der ganzen Wohnung stehen Umzugkartons. Katrin ist dabei, all ihre Spielsachen in einen großen Karton zu packen. Ina hilft mit. Am Abend haben sie es geschafft: keine Puppe, kein Schmusetier, keine Bilderbücher und kein sonstiges Spielzeug ist mehr zu sehen. »Morgen kommt der Möbelwagen!«, sagt Katrin. »Kommst du, um mir Tschüß zu sagen?« – »Na klar«, meint Ina, »ich komme!«

Tatsächlich steht am nächsten Morgen ein großer Möbelwagen vor Katrins Haus. Viele Männer gehen immer wieder die Treppen hinauf und kommen mit den gepackten Kisten und Kartons herunter.
Ina steht erst einmal eine Weile da und schaut zu. Dann geht sie nach oben zu ihrer Freundin. Katrin sitzt in ihrem leeren Zimmer. Komisch sieht das ausgeräumte Zimmer aus, und die Schritte klingen laut und hohl. Katrin hält ein Geschenk in der Hand. »Das ist mein Abschiedsgeschenk für dich«, sagt Katrin und streckt Ina ein Päckchen entgegen. Auch Ina hat etwas für Katrin dabei. Ein buntes Wasserfarbenbild hat sie für Katrin gemalt. »Vielen Dank!«, ruft Katrin. »Das ist ein schönes Bild. Ich werde es neben meinem Bett im neuen Kinderzimmer aufhängen. Und immer wenn ich das Bild anschaue werde ich an dich denken.« Ina und Katrin nehmen sich in die Arme und verabschieden sich.

Dann ist es soweit, Katrin fährt mit ihren Eltern ab. Der große Möbelwagen fährt voraus. Mit der einen Hand winkt Ina, solange sie die beiden Autos sehen kann. In der anderen Hand hält sie ganz fest das Päckchen.
Ina läuft nach Hause. In ihrem Zimmer packt sie das Geschenk vorsichtig aus.

(Das Päckchen aus der Mitte nehmen und auch vorsichtig aufpacken.)

Aus dem Geschenkpapier kommt ein goldener glitzernder Stein hervor. »Der Königsstein!«, ruft Ina. »Katrin hat mir ihren wertvollsten Stein geschenkt!«

(Den Stein mit den Kindern genauer betrachten.)

Ina freut sich sehr über den Stein, aber sie fühlt sich auch traurig und allein.

(Der/die Mitarbeiter/in beginnt den ersten Teil des Liedes »Ich bin traurig und allein« zu singen.)

Ich bin traurig und allein (Teil I)

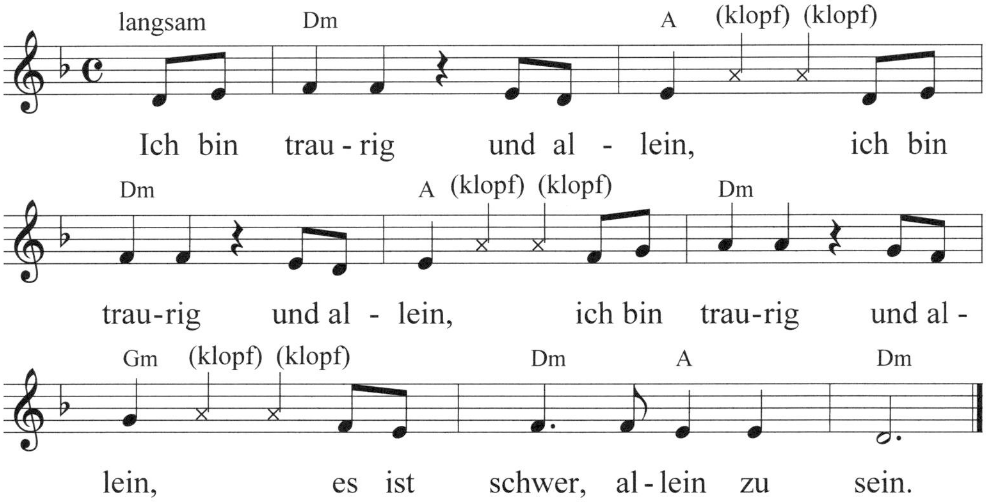

Text und Melodie: Iris Lang, 1996
Rechte bei der Autorin

(Das Lied wird wiederholt. Dabei wird der Stein von einem Kind zum anderen weitergegeben. Dann wird der Stein in die Mitte gelegt.)

Inas Mutter kommt zur Tür herein. »Du bist sicher sehr traurig, Ina, das kann ich gut verstehen.« Und die Mutter nimmt Ina in ihre Arme und streichelt zart ihren Rücken. Das tut Ina gut. Sie ist froh, bei ihrer Mutter zu sein. Ganz fest drückt sie ihre Mutter und hält dabei ihren Stein in der Hand.

Ich bin traurig und allein (Teil II) – (siehe rechte Seite oben)

»Schau mal, Mama«, sagt Ina, »diesen schönen Stein hat mir Katrin geschenkt. Es war ihr wertvollster Stein. Er heißt Königsstein. Aber für mich ist es jetzt der Troststein.« Ina kann jetzt schon wieder ein bisschen lächeln. »Weißt du, Ina«, sagt die Mutter und streichelt dabei weiter Inas Rücken, »Katrin wohnt jetzt nicht mehr hier, aber ihr könnt trotzdem Freundinnen bleiben. Du kannst mit ihr telefonieren und in den Ferien könnt ihr euch besuchen.« – »Ja«, erwidert Ina, »wir werden immer Freundinnen bleiben!«

Ich bin traurig und allein (Teil II)

Text und Melodie: Iris Lang, 1996

Spiellied

Wir spielen »traurig sein« und »getröstet werden«.
Jeweils zwei Kinder sind ein Paar. Ein Kind spielt die traurige Ina, das andere Kind spielt die Mutter. Dazu singen wir das Lied »Ich bin traurig«.
Beim ersten Teil knien alle traurigen Kinder auf dem Boden und halten die Hände vors Gesicht. Die »Mütter« stehen ein Stück entfernt hinter ihnen.
Beim zweiten Teil streicheln die Mütter den Kindern den Rücken.
Es ist eine schöne Körpererfahrung für die Kinder, das Streicheln zu spüren.
Danach werden die Rollen getauscht. Manche Kinder fangen vielleicht an zu lachen. Das ist aber nicht schlimm.

Zum Abschluss kann man jedem Kind einen »Troststein« schenken (z. B. ein Glasnugget; Bezugsadresse s. S. 112).

2. Einheit: Freut euch, Jesus lebt!

(Aus Steinen wird in der Mitte des Sitzkreises eine »Landschaft« gelegt – siehe Abb. auf S. 22 oben – damit die Geschichte für die Kinder stärker veranschaulicht wird. Die Kinder sitzen nicht auf Stühlen, sondern auf dem Boden.)

Materialliste
- ca. 20–25 mittelgroße Kieselsteine (für das Haus und das Felsengrab)
- 13 Korken (Die Korken stellen die Jünger dar. Statt den Flaschenkorken kann man auch Holzkegelfiguren nehmen. Bezugsadresse für diese Figuren s. S. 112)
- zwei gleichlange Schnüre (für den Weg)
- zwei Kerzen mit Kerzenständer (einen für den Engel, einen für das Haus)

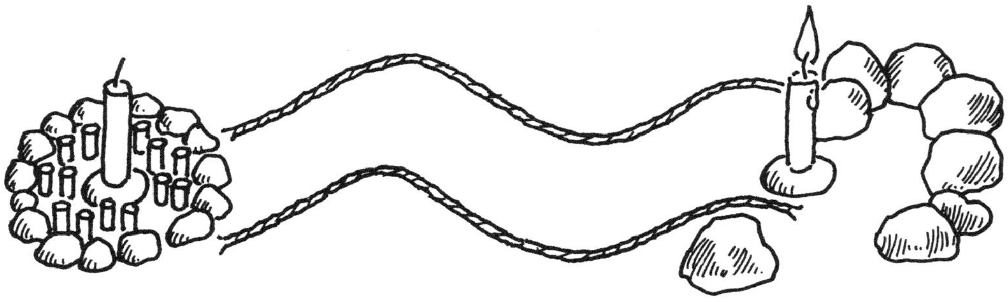

Kreis aus Steinen als Haus. Die Jünger (Korken, Holzkegel) ins Haus stellen. Eine nicht angezündete Kerze dazustellen.

Zwei Schnüre als Weg

Kleiner Kreis aus Steinen als Felsengrab. Ein weggerollter Stein liegt neben dem offenen Eingang. Am Eingang steht eine brennende Kerze.

Die Geschichte

Erzählung

Die Sonne geht auf, ein neuer Tag beginnt. Warm strahlt die Sonne vom blauen Himmel herab. Die Fensterläden dieses Hauses (auf das Steinhaus zeigen) bleiben jedoch fest verschlossen. Dunkel und finster ist es in dem Haus. Drinnen sitzen die Jünger von Jesus. Auch die Frauen Magdalena und Maria sind dabei. Alle lassen sie die Köpfe hängen. Still und traurig sitzen sie beisammen. Jesus, ihr Freund, ist nicht mehr bei ihnen. Jesus wurde vor drei Tagen getötet. »Ich kann es einfach nicht glauben, dass Jesus tot ist«, sagt Jakobus in die Stille hinein. »Ja«, nickt Andreas, »mir geht es genauso.« »Es war so schön, als Jesus noch bei uns war«, sagt Petrus leise. »So viel Gutes haben wir mit ihm erlebt. Ohne ihn fühle ich mich traurig und allein.«

Lied: »Ich bin traurig und allein« (Teil I)
(Die Melodie erst einmal leise summen, dann erst den Vers singen.)

»Was wird nun aus uns?«, fragt Andreas. »Wie lange sollen wir uns noch in dem dunklen Haus vor den Soldaten, die Jesus getötet haben, verstecken? Wie wird alles weitergehen? Wie können wir leben ohne unseren Freund Jesus?« Andreas schlägt verzweifelt die Hände vors Gesicht und weint.

Lied: »Ich bin traurig und allein« (Teil II)
(Die Melodie erst einmal leise summen, dann erst den Vers singen.)

Magdalena legt tröstend den Arm um Andreas. »Wir wissen nicht, wie es weitergehen wird«, sagt sie zu Andreas. »Aber es ist gut, dass wir hier alle beieinander sind. Dann können wir uns trösten.« »Danke«, sagt Andreas, »danke, dass du mich tröstest. Jetzt geht es mir schon ein bisschen besser!«

Lied: »Ich bin traurig und allein« (Teil I+II)
(Dazu strecken wir alle unsere Arme zur Seite hin aus und legen sie auf den Rücken unserer Nebensitzerin, unseres Nebensitzers. Wir streicheln uns gegenseitig den Rücken.)

Magdalena und Maria gehen aus dem dunklen Haus. Sie machen sich auf den Weg zum Felsengrab. Dort wollen sie ihren toten Freund Jesus mit wertvollem Öl einreiben. Maria trägt den Tonkrug. In dem Krug ist das Hautöl.

(Die Figuren zum Felsengrab bewegen.)

Als Magdalena und Maria am Felsengrab ankommen, erschrecken sie sehr! Der große Stein, der den Eingang des Grabes verschloss, ist weggerollt. Das Grab ist leer! Jesus liegt nicht mehr im Grab!

Vor dem Grab steht ein Engel. »Habt keine Angst!«, sagt der Engel. »Ich weiß, ihr sucht Jesus, euren Freund. Jesus ist nicht mehr im Grab. Gott hat Jesus auferweckt. Jesus lebt! Freut euch, bald werdet ihr ihn sehen. Und jetzt lauft und erzählt allen, dass Jesus lebt!«

(Die Engelkerze wird angezündet.)

So schnell sie können, laufen Magdalena und Maria nach Hause.

(Die Figuren zurücksetzen.)

Aufgeregt berichten sie den Jüngern was der Engel am Felsengrab gesagt hatte. Fassungslos starren sich die Jünger an. Ist das zu glauben? Jesus lebt? Noch sitzen alle still da, doch dann kommt Bewegung in sie. »Jesus lebt!«, rufen sie. Die Trauer wird immer kleiner, die Freude immer größer. Hell wird es in ihren Herzen und hell wird es in ihrem Haus.

(Mit der brennenden »Engelkerze« die »Hauskerze« anzünden.)

»Nun können wir wieder fröhlich sein, alles ist wieder gut«, sagt Petrus voller Freude. »Ja, freut euch!«, ruft Andreas. »Freut euch, Jesus lebt!«

Jesus lebt, ich freue mich

Text und Melodie: Iris Lang, 1996
Rechte bei der Autorin

2. Jesus lebt, ich freue mich. Er ist mir ganz nah.
Drum stampfe ich, weil ich mich freu …

3. Jesus lebt, ich freue mich. Er ist mir ganz nah.
Drum hüpfe ich, weil ich mich freu …

4. Jesus lebt, ich freue mich. Er ist mir ganz nah.
Drum tanze ich, weil ich mich freu …

5. Jesus lebt, ich freue mich. Er ist mir ganz nah.
Ich mach Musik, weil ich mich freu …

3. Einheit: Ostertanz

(Die »Landschaft« vom letzten Mal wird wieder aufgebaut. Dadurch erinnern sich die Kinder an die Geschichte. Die Kinder sitzen im Kreis auf dem Boden. Mit den Kindern wird gemeinsam nochmals die Ostergeschichte wiederholt. Danach werden die zwei Kerzen, die Schnüre und die Korkfiguren auf den Altar gestellt.)

Steine als Instrument

Anleitung: In unserer Mitte liegen nur noch die Steine. Diese Steine werden heute unsere Instrumente sein. Der Reihe nach sucht sich jedes Kind zwei Steine aus und hält sie fest in der Hand. Wenn alle ihre Steine haben, probieren wir aus, welche Klänge wir mit den Steinen machen können. Dabei müssen wir sehr vorsichtig sein und dürfen anderen und uns nicht wehtun. Wenn ich die Hand nach oben halte, müssen alle wieder still sein.

Es können z.B. folgende Aktionen ausprobiert werden:
— Steine aneinander klopfen
— Steine aneinander reiben
— laut, leise, schnell, langsam klopfen

Übergang zum Ostertanz

Anleitung: Wir haben gehört, wie traurig die Jünger waren, als Jesus nicht mehr bei ihnen war. Sie fühlten sich traurig und allein. Wir werden nun das »Traurigsein«, das »Getröstetwerden« und zum Schluss auch die Freude der Jünger spielen und tanzen.

Trauer-Lied »Ich bin traurig« (Teil I, s. S. 20)

*Die Kinder sitzen in gebückter Haltung auf dem Boden.
Vom Lied »Ich bin traurig« wird die Melodie gesummt. Dazu werden, auf die zwei Schläge in den Pausen, die Steine leise aneinander geschlagen (siehe Noten). Nach dem Summen wird der erste Vers gesungen.*

Methodischer Hinweis:

Die Kinder lernen das rhythmische Klopfen durch die Nachahmung. Es wird ihnen schwer fallen, zum Klopfen gleichzeitig zu singen. Die Mitarbeiterin bzw. der Mitarbeiter sollte deshalb selbst kräftig singen und das Klopfen deutlich vormachen.

Trost-Lied: »Ich bin traurig« (Teile I+II)

Der zweite Teil wird gesungen. Die Kinder legen ihre Steine vor sich auf den Boden und legen ihre Hände auf den Rücken ihres Nebensitzers. Sie streicheln sich über den Rücken.

Freude-Lied: »Jesus lebt« (s. S. 23)

Die Bewegungen werden zum Lied ausgeführt. Beim 5. Vers nehmen alle ihre Steine vom Boden auf und klopfen zum Lied.

Sankt Martin feiern

Eine Erzählung und ein Laternenumzug mit Abschluss in der Kirche

Iris Lang und Hans Villinger

Das Thema und die Kinder

Martin von Tour hilft einem armen Mann in seiner Not. Für Erwachsene und Kinder wird der Heilige damit zum beispielhaften Nachfolger Jesu. Indem wir uns jedes Jahr am Martinstag die Geschichte vor Augen führen, werden wir an diesen zentralen Inhalt unseres christlichen Glaubens erinnert: die Zuwendung zu Menschen, die unsere Hilfe brauchen.

Biblischer Bezug

St. Martin bezieht seine Motivation aus Texten wie z. B. Matthäus 25,31–46.

Bausteine zur Gestaltung

Der Entwurf umfasst zwei Einheiten. Die erste dient dazu, die Kinder mit der Gestalt des St. Martin bekannt zu machen. Im Zentrum steht eine Erzählung. Für den Martinstag selbst (oder einen Tag in zeitlicher Nähe) ist ein Laternenumzug mit den Familien der Kinder vorgesehen, der in der Kirche zum Abschluss kommt. Dort wird ein Teil der Martinslegende als Spiellied mit Pappfiguren auf einem Tisch erzählt (Materialliste siehe S. 27). Das Spiellied »Im Schnee da saß ein armer Mann« findet sich im Entwurf, ebenso der Vorschlag für ein Gebet.
Weitere Liedempfehlungen: allgemein bekannte Lieder zum Martinstag, z. B. »Sankt Martin ritt durch Schnee und Wind« (LJ 354; KG 86); »Ein Bettler saß im kalten Schnee« (KG 87) oder »Ein armer Mann« (SL 177; MKL 1,120).
Wichtiger Hinweis: Da der Laternenumzug in der Kirche endet, sind rechtzeitige Absprachen mit Messner/in, Organist/in und Pfarrer/in erforderlich. Weitere Informationen zu St. Martin (Geschichten, Brauchtum, Lieder, Spielszenen, Literatur) finden sich im Internet unter http://www.martin-von-tours.de/geschichte/index.html

■ Inhaltliche Überlegungen

Die St.-Martins-Legende bietet viele spannende Elemente, die Kinder begeistern: die Verbindung zum Soldatenleben, die Gestalt des Hauptmanns auf dem Pferd, die Gänse im Stall usw. Diese interessanten Züge tragen dazu bei, den Kindern den Zugang zu den tieferen Inhalten der Erzählungen zu erleichtern: zu St. Martins Abkehr vom Soldatentum, seiner Bekehrung zum Glauben, seinem diakonischen Engagement und seiner kontemplativen Haltung. In der Entwicklung dieses Mannes zeigt sich, wie Hören der Jesus-Geschichten und Umsetzung des Gehörten im eigenen Leben glücklich ineinander greifen.

■ Zur Gestaltung

Erzählung

Einführung:
Bald ist es wieder soweit. Wir ziehen im Dunkeln mit Laternen umher. Es ist Martinstag. An diesem Tag erinnern wir uns an einen frommen Mann, der Martin hieß *(gerade so wie ... – vielleicht gibt es einen Martin unter den Kindern)*. Deshalb nennen wir unsere Laterne manchmal auch Martinslicht. Dieser Martin hat vor langer Zeit gelebt. Aber noch immer denken die Menschen an ihn. Er war nämlich so etwas wie ein helles Licht im Dunkeln. Ich will euch von ihm erzählen.

Die Geschichte

Martin ist sehr alt geworden, 80 Jahre, aber natürlich war er auch einmal so jung wie ihr heute. Ich stelle mir vor: Martin spielt zusammen mit seinem Freund Lukas. Sein Vater kommt hinzu. Martin ruft: »Vater, sieh nur, wie toll ich kämpfen kann!« Er schwingt sein hölzernes Schwert und schlägt mit ihm gegen den Stecken seines Freundes. Beide haben Helme aus Papier auf dem Kopf und reiten auf Besenstielen. Martins Vater freut sich. Er ist Hauptmann bei den Soldaten. Er denkt: »Mein Martin wird einmal genauso ein tüchtiger Soldat wie ich.«

Die beiden Kinder streifen oft zusammen durch die Stadt. Manchmal nimmt Lukas seinen Freund Martin mit in die Kirche. Seine Familie gehört zu den Christen. Martin ist neugierig. Sein Freund muss ihm vieles erklären, z. B. das Kreuz an der Wand. Auf diese Weise hört Martin von Jesus. Und was er da hört, geht ihm zu Herzen. Martin gefällt, wie Jesus den kranken und armen Menschen geholfen und was er ihnen von Gott erzählt hat.

Als Martin 15 Jahre alt ist, sagt sein Vater zu ihm: »Tüchtige junge Männer wie dich kann der Kaiser in Rom brauchen. Du wirst Soldat.« Martin gehorcht. Jetzt lernt er, mit einem richtigen Schwert zu kämpfen und auf einem Pferd zu reiten. Er stellt sich geschickt an. Schon bald wird er Anführer einer Reitergruppe. Er wird mit seinen Reitern nach Frankreich geschickt, in die Stadt Amiens.

Einmal – es ist im tiefen Winter – reitet Martin durch das Stadttor von Amiens. Es ist bitterkalt. Martin ist froh, dass er sich in einen warmen Umhang aus dickem Stoff hüllen kann. Da sieht er am Straßenrand einen Bettler sitzen, ohne Mantel, ohne Hemd. Der Mann friert. Er streckt dem Reiter die Hand entgegen. Martin hält an. Der Mann tut ihm Leid. Martin kramt in seiner Tasche, aber er hat kein Geld bei sich. Wie kann er helfen? Martin überlegt nicht lange. Er greift nach seinem Schwert, teilt damit seinen Umhang und gibt die eine Hälfte dem Bettler. Dann reitet er schnell weiter. Als er zurück ins Lager der Soldaten kommt, lachen Martins Kameraden über ihren Anführer. »Was hat er davon? Schade um den guten Mantel«, sagen sie sich.

In der folgenden Nacht hat Martin einen Traum. Er träumt von Jesus. Ganz deutlich sieht er die Wunden Jesu an den Stellen der Hände, wo die Nägel durchgingen, als sie ihn ans Kreuz hängten. Wundmale heißt man die Stellen. Merkwürdig! Jesus, den er da sieht, gleicht dem armen Mann im Tor. Er hat über den Schultern den halben Mantel hängen, den Martin dem Bettler geschenkt hat. Als Martin aufwacht, wundert er sich über seinen Traum. Er kann ihn nicht vergessen. Später lernt er, dass Jesus gesagt hat: »Was ihr einem meiner geringsten Brüder und Schwestern getan habt, das habt ihr mir getan.«

Martin will immer mehr von Jesus hören. An Ostern lässt er sich taufen. Er gehört nun zu den Christen. Sein Beruf als Soldat gefällt ihm immer weniger. Er will nicht länger gegen Menschen kämpfen und ihnen Angst machen müssen. Er will nicht mehr dem Kaiser dienen. Er will nur noch für Gott da sein. So verlässt Martin die Soldaten und zieht sich an einen einsamen Ort zurück. Er will allein sein, um ungestört beten und über Gott und Jesus nachdenken zu können. Martin baut sich eine einfache Hütte gegen den Regen. Er lebt von Kräutern, Wurzeln und Beeren. Manchmal schenken ihm mildtätige Menschen ein wenig Brot und Milch.

Martin bleibt nicht lange für sich. Bald kommen Menschen zu ihm, die Hilfe brauchen, Kranke und Arme wie der Bettler am Stadttor. Martin hilft ihnen, so gut er kann, und er betet für sie zu Gott. Es kommen auch junge, gesunde Leute zu Martin. Sie wollen mit ihm zusammen leben wie Brüder und ganz für Gott da sein. Martin schickt sie nicht weg. Sie bauen sich Hütten neben seiner Hütte und eine kleine Kirche zum Beten. Ein Kloster entsteht, das erste in Frankreich.

Eines Tages stirbt der Bischof in Tours. Die Christinnen und Christen in der Stadt und Umgebung brauchen einen, der sie im Glauben anleitet und stärkt. Sie sagen: »Martin lebt und handelt in den Spuren von Jesus. Er hat ein Herz für die kleinen und armen Leute. Er soll Bischof werden.« Die Christen von Tours schicken darum Boten ins Kloster zu den Brüdern, aber sie finden Martin nicht. Martin hat sich im Gänsestall versteckt. Er will nicht Bischof werden. Er will kein hoher Herr in der Stadt sein und über andere herrschen. Als aber am Abend die Gänse von der Wiese heim in ihren Stall watscheln, verraten sie den Eindringling. Sie schnattern so laut, dass die Leute herbeilaufen und nachschauen, was los ist. So entdecken sie Martin. »Du sollst unser Bischof werden!«, rufen sie. Da willigt Martin ein. Er wird Bischof von Tours, aber er will nicht in einem Haus in der Stadt wohnen. Er bleibt bei den Brüdern im Kloster. Von dort aus besucht er die Christinnen und Christen im Land und hilft ihnen im Glauben. Die Menschen lieben ihren Bischof. Martin ist für sie wie ein Licht im Dunkel, das hell macht und den rechten Weg zeigt.

80 Jahre alt ist Martin geworden. Auch nach seinem Tod haben ihn die Menschen nicht vergessen. Immer wieder haben sie sich dankbar an ihn erinnert. Sie haben deshalb viele Kirchen nach ihm benannt. Vielleicht gibt es ganz in eurer Nähe eine Martinskirche. Auch wir denken an den Martin, der seinen Mantel mit dem Bettler teilte, wenn wir am Martinstag mit unseren Laternen im Dunkeln umherziehen.

Gebet

Guter Gott, wir staunen über Martin.
Wie konnte er so einfach teilen mit dem armen Mann!
Du hast ihm die Augen geöffnet. Du hast ihm das Herz weit gemacht.
Mach auch unsere Herzen weit.
Dann sehen wir, wie es anderen geht, und leiden mit ihnen.
Dann werden wir bereit zu teilen und suchen nach Wegen, um zu helfen.
Schenke uns deinen guten Geist. Amen.

Laternenumzug mit Abschluss in der Kirche am Martinstag

Materialliste für den Laternenumzug

- Karton für zwei große Figuren (Martin und Bettler, s. S. 31
- Wachsstifte
- zwei Stücke roter Stoff
- Schwert-Attrappe aus (Schaschlik-)Stäben
- Wattebällchen als Schneekulisse
- (selbst gebackene) Kekse in Stern-Form
- Liedblatt mit dem Lied »Im Schnee da saß ein armer Mann« (s. S. 29)
- Kopien des Martinsbildes auf dünnem Karton zum Mitgeben und Basteln (s. S. 31)
- Für die Handpuppe wird eine kleine Laterne aus Pergamentpapier und einem Teelicht gebastelt (s. Anleitung Seite 30).

Zur Gestaltung des Umzugs

Der Umzug wird geleitet und moderiert von einer Handpuppe, hier Max genannt, und einer Kinderkirchmitarbeiterin, die hier Sonja heißt.

Treffpunkt: Alle treffen sich um 17.00 Uhr mit ihrer Laterne vor der Kirche. Um diese Uhrzeit ist es noch hell, während des Umzuges wird es immer dunkler. Kinder und Eltern stellen sich im Kreis auf.

Beginn: Zur Begrüßung wird eine Handpuppe eingesetzt. Max, die Handpuppe, freut sich über die vielen Kinder, Eltern und Laternen. Max wünscht sich so gerne auch eine Laterne. Sonja, die Kinderkirchmitarbeiterin überrascht Max. Sie hat ihm eine kleine Laterne gebastelt (Bastelvorlage s. S. 30). Sie überreicht sie Max und zündet die Kerze an. Jetzt kann auch Max mit seiner Laterne am Umzug teilnehmen.

Unterwegs: Sonja und Max führen den Umzug an, alle folgen ihnen. An geeigneten Plätzen bleiben alle stehen, bilden einen Kreis und singen zusammen ein Laternenlied. Max redet mit den Kindern (z. B.: »Schaut mal zum Himmel, ob schon die Sterne zu sehen sind?« Oder: »Wer von euch hat denn seine Laterne selbst gebastelt?« Oder: »Wer von euch kennt denn ein Laternenlied?«). Nach ca. 30 Minuten kommen alle wieder an der Kirche an.

In der Kirche

Einzug: Die ganze Gruppe zieht zu festlicher Orgelmusik in die fast dunkle Kirche ein. Wenn möglich, sind im Altarraum kleine Bänke oder Stühle im Halbkreis aufgestellt. Die Kinder nehmen dort ihre Plätze ein. Die Eltern sitzen in den Kirchenbänken. Die Laternenkerzen werden gelöscht. Die Kirche ist so ausgeleuchtet, dass man im Altarraum gut sehen kann. Ansonsten ist es in der Kirche eher dunkel.

Spielszene: Sonja setzt sich mit Max den Kindern gegenüber in den Halbkreis. Sonja sitzt an einem kleinen Tisch. Darauf stehen eine Vase mit Zweigen und eine brennende Kerze. Max findet es in der fast dunklen Kirche schön. Er schaut sich um und bittet auch die Kinder, nach oben zu sehen (»Wie hoch ist die Decke!«), zur Seite und nach hinten. Heute im Dunkeln wirkt die Kirche ganz anders als sonst am Sonntagmorgen. Max leitet noch einmal ein Laternenlied an, z. B. *»Laterne, Laterne, Sonne, Mond und Sterne«*.

Figuren für die Spielszene (Bastelanleitung s. S. 31)

Lied zur Spielszene: **Im Schnee da saß ein armer Mann**

Text und Melodie: Iris Lang, 2004

2. Der Martin reitet hopp, hopp, hopp
auf seinem Pferdchen im Galopp.
O, halte an. O, halte an
und helfe doch dem armen Mann!

3. Der Martin hält sein Pferdchen an.
Das Pferd steht still beim armen Mann.
Und mit dem Schwert, herbeigeeilt,
der Martin seinen Mantel teilt.

4. Er gibt dem armen Mann ein Stück.
Der freut sich über dieses Glück!
Jetzt hat auch er, jetzt hat auch er
ein Mantelteil und friert nicht mehr.

Sonja: Max, jetzt möchte ich den Kindern und Eltern und auch dir eine Geschichte erzählen. Setz dich doch mal hier hin!
(Die Handpuppe wird zur Seite gesetzt.)

Es war einmal ein Mann, dem ging es gar nicht so gut wie uns. Draußen war es sehr kalt, es lag sogar Schnee. Und der arme Mann saß draußen im Schnee und hatte keinen warmen Anorak an und keine warme Hose und keine Mütze und auch keinen Schal. Der arme Mann hatte nur ein paar Lumpen an. Und er fror sehr.

Mit den Kartonfiguren (s. S. 31) des reitenden Martin und des Bettlers wird die Geschichte zum Text vorgespielt. Der arme Mann wird auf den Tisch neben die Zweige gesetzt.

Im Schnee da saß ein armer Mann,
der hatte keine Kleider an.
Er friert so sehr, er friert so sehr.
Der Mann hat keine Kleider mehr.

Der arme Mann wird mitten auf den Tisch gesetzt. Watteböllchen als Schneeflocken werden dazugelegt.

Der Martin reitet hopp, hopp, hopp,
auf seinem Pferdchen im Galopp.
O, halte an, o, halte an
und helfe doch dem armen Mann!

Die Reiterfigur des St. Martin heran reiten lassen.

Der Martin hält sein Pferdchen an.
Das Pferd steht still beim armen Mann.
Und mit dem Schwert herbeigeeilt,
der Martin seinen Mantel teilt.

Die Reiterfigur wird an die Vase mit den Zweigen gelehnt. Mit dem kleinen Schwert wird die Mantelteilung angedeutet.

Er gibt dem armen Mann ein Stück.
Der freut sich über dieses Glück!
Jetzt hat auch er, jetzt hat auch er
ein Mantelteil und friert nicht mehr.

Das zweite rote Stück Stoff wird um den armen Mann gehängt. Die Figuren bleiben »als Bild« auf dem Tisch stehen.

Sonja: Diese Geschichte kann man auch singen. Ich singe und spiele sie euch mal vor.

(Alle Figuren stellen sich wieder in Ausgangsposition. Das Spiel wird zunächst zu Sonjas Gesang, dann zum Gesang aller wiederholt. Zum Abschluss holt Sonja Max, die Handpuppe, zurück.)

Max: Das war aber eine schöne Geschichte!

Sonja: Ja, Max. Und wenn wir nachher aus der Kirche hinausgehen und die Kerzen in unseren Laternen anzünden, dann kann uns das helle Licht an St. Martin erinnern. Und daran, wie er seinen Mantel mit dem armen Mann geteilt hat. Jetzt soll es aber für euch eine Überraschung geben, und zwar leckere Sternenkekse. Die teilen wir nun aus. Und während ihr esst, singen die Eltern zur Begleitung der Orgel das Lied »Der Mond ist aufgegangen« (EG 482,1.7 / LJ 276,1.7).

Bekanntgaben und Auszug

Sonja: Das Laternenfest ist nun fast zu Ende. Wir danken allen, die heute bei diesem Laternenumzug mitgeholfen haben! Von den Kerzen am Altar nehmen wir das Feuer, um eure Laternen anzuzünden. Gleich wird nochmals die Orgel für uns zum Auszug erklingen. Und am Ausgang bekommt ihr ein Bastelblatt, damit ihr zu Hause die Geschichte nachspielen könnt.

Max: Sonja und ich wünschen euch allen einen guten Nachhauseweg mit eurer Laterne! Tschüss, ich winke euch noch zu!

(Auszug mit Orgelmusik)

Bastelanleitungen

Kleine Laterne für die Handpuppe

Ein Pergamentpapier (14 cm breit und 6 cm hoch) wird mit Filzstiften oder Wasserfarben bemalt. Die silberne Ummantelung eines Teelichtes wird mit Allzweckkleber bestrichen, damit das bunte Pergamentpapier um das Teelicht geklebt werden kann. Mit einem oben angebrachten dünnen Draht wird die Laterne an einem dünnen Ast oder Stab befestigt.

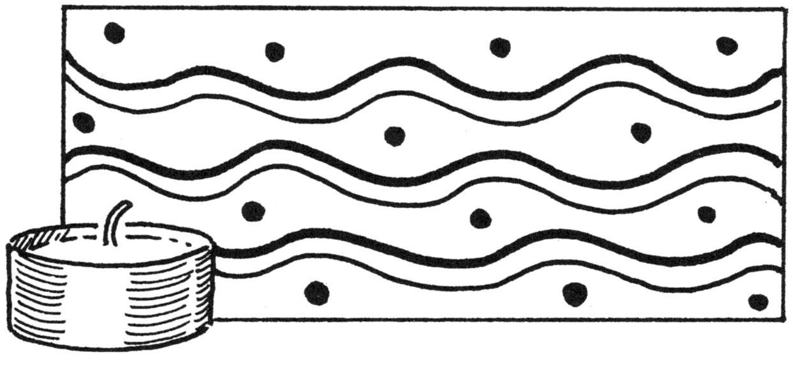

Figuren für die Spielszene

Die Vorlagen für den armen Mann und St. Martin (s. unten) werden vergrößert. Mit dem Kopierer lässt sich DIN-A3-Größe erreichen, projiziert mit dem Tageslichtprojektor von einer Folie ist auch eine Übertragung auf größere Formate möglich. Die zu wählende Größe hängt von der zu erwartenden Kinderzahl ab. Die vergrößerten Silhouetten werden ausgeschnitten und auf Karton geklebt oder gepaust. Die so entstandenen Figuren werden mit Wachsstiften bemalt und mit Pappstreifen, die von der Rückseite nach hinten laufen, stabilisiert, so dass sie stehen können. Ein rotes Stück Stoff wird als Mantel um St. Martin gehängt, auch eine Schwertattrappe gehört zu seiner Ausstattung.

Kopiervorlage

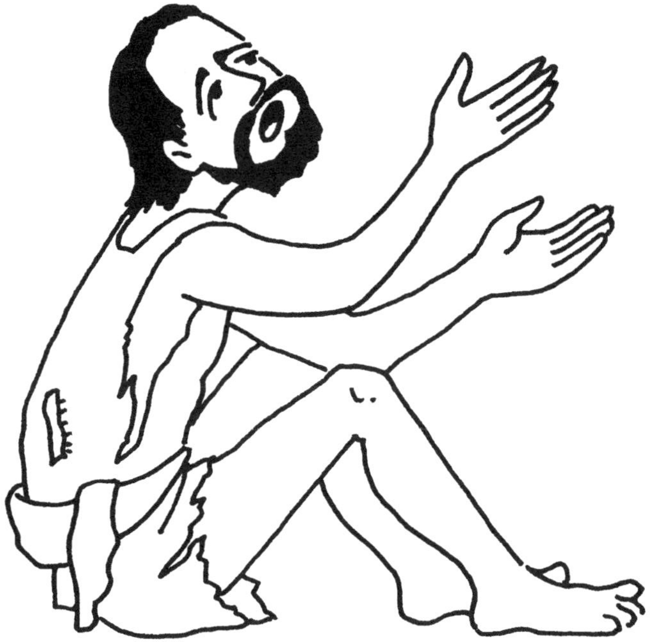

Nikolaus von Myra

Zwei Nikolauslegenden als Mitmachgeschichten gestaltet

Ellen Eidt

Das Thema und die Kinder

Die Kinder lernen den Heiligen Nikolaus kennen als einen wunderbaren Helfer für Menschen, die in Not sind. Sie erfahren dabei, dass jeder Mensch von Gott her wertvoll ist und dass Menschen wie Nikolaus dies durch ihr Tun sichtbar und spürbar werden lassen.

Biblischer Bezug

Die Nikolaus-Legende beinhaltet Anklänge an die neutestamentlichen Speisungswunder, z. B. Markus 6,30–44. Nach der kirchlichen Tradition hat sie in der Adventszeit ihren Platz.

Bausteine zur Gestaltung

Es werden zwei Legenden über Nikolaus von Myra erzählt:
— Korn für Myra
— Drei goldene Kugeln
Sie sind als Mitmachgeschichten gestaltet. Die Kinder stehen oder sitzen im Kreis um ein Bodenbild, das sie selbst legen und verändern (Materialliste siehe S. 38). Zur liturgischen Gestaltung kann auf die allgemein bekannten Nikolauslieder zurückgegriffen werden. Auf die Melodie »Lasst uns froh und munter sein« wird ein zu beiden Legenden passender Text geboten (S. 40). Vor allem zur Verwendung im Gottesdienst ist auch ein Anfangs- und ein Schlussgebet formuliert.

■ Inhaltliche Überlegungen

In der katholischen Tradition fallen die Gedenktage für die so genannten vier großen Helferheiligen alle in den Spätherbst. Das hat seinen guten Sinn, denn in der dunklen Jahreszeit sehnen sich die Menschen nach Licht und menschlicher Wärme – das gilt für die Erwachsenen wie für die Kinder.
St. Martin, St. Nikolaus, St. Elisabeth und St. Luzia können entsprechend als Licht- und Wärme-Botinnen und -Boten verstanden werden. Von ihnen wird erzählt, dass sie in der Nachfolge Jesu armen und Not leidenden Leuten geholfen haben. Sie sind uns darin bis heute Zeichen für Gottes Liebe unter den Menschen und ermutigen uns, verantwortlich nach Jesu Vorbild zu handeln.

Der Heilige Nikolaus ist den Kindern durch die unterschiedlichsten Bräuche am 6. Dezember wohl bekannt. In den Legenden um diese Figur fließen Erzählungen von zwei historischen Persönlichkeiten zusammen: von Bischof Nikolaus von Myra (4. Jh.) und von Abt Nikolaus von Sinon (6. Jh.).
Die beiden hier ausgewählten Legenden stärken die Kinder in dem Vertrauen, dass ihre Bedürfnisse im Leben gestillt werden und dass sie als Personen wertvoll und wichtig sind.

(Weitere Informationen zu Nikolaus unter: http://www.nikolaus-von-myra.de).

Zur Gestaltung

Die Erzählungen

(Die Rahmengestaltung ist für beide Legenden gleich. Die Kinder sitzen im Kreis. In der Mitte liegt ein Adventskranz.)

Wir bauen jetzt zusammen eine Stadt. Dazu stehen wir alle auf. Die Stadt heißt Myra. Die Stadt hat eine feste Stadtmauer. Damit die Mauer richtig fest und sicher steht, braucht sie ein gutes Fundament, einen festen Boden. Das sind unsere Füße. Und es müssen viele Steine aneinander gemauert werden.

Alle Kinder stehen auf.

Fest mit beiden Füßen nacheinander auf den Boden stampfen, von einem zum andern im Kreis herum die Hände reichen und dazu singen: »Wer will fleißige Handwerker seh'n ... Stein auf Stein, die Mauer wird bald fertig sein!«

Unsere Stadt hat einen Namen. Ich habe ihn schon genannt: Sie heißt Myra. In der Stadt wohnen Menschen. Viele Menschen: Mütter und Väter mit ihren Kindern. Sie wohnen in ihren Häusern.

Jedes Kind darf sich eine farbige Serviette (ein farbiges Tuch) aussuchen und faltet daraus auf dem Boden zu seinen Füßen ein Haus. Dabei sollen die Dächer jeweils zu den Fußspitzen der Kinder zeigen.

Das ist also unsere Stadt Myra mit vielen Häusern und einer sicheren Stadtmauer. Die Stadt Myra liegt am Meer, am Mittelmeer.

Der Raum in der Mitte des Adventskranzes wird mit einem blauen Tuch oder blauen Servietten ausgelegt.

Myra hat einen Hafen. Oft kommen Schiffe übers Meer gesegelt und machen im Hafen fest.

Einige kleine gefaltete Papierschiffchen werden dazu gelegt.

Die Geschichte

1. Korn für Myra

In Myra, da war es, wie es früher immer und überall war: So oft wie möglich versammelte sich die ganze Familie um den großen Tisch im Haus. Und besonders schön war das immer dann, wenn ... ja, wenn die Mutter mit ihrem großen Korb zur Tür herein kam. Oft duftete es schon von der Tür her, und die Kinder konnten das Auspacken kaum erwarten.

Ein in ein weißes Tuch eingeschlagenes frisches Fladenbrot hervorholen. Die Kinder im Kreis herum erst an dem noch eingeschlagenen Brot riechen lassen. Dann im Kreis herumgehen und die Kinder nach und nach das Brot auspacken lassen. Gesprächsphase über das Brot als Lebensgrundlage. Dann wird das Brot auf dem Tuch neben den Adventskranz gelegt.

Einmal, vor langer, langer Zeit, gab es in Myra einen besonders heißen Sommer. Die Sonne brannte heiß über der Stadt. Viele Wochen lang fiel kein Regentropfen.

Die Kinder lassen mit ihren Händen die heiße Sonne flimmern.

Langsam verdorrte das Gras. Auch das Getreide auf den Feldern verdorrte, bevor die Körner groß und reif waren. Die Bauern konnten keinen Weizen ernten. Bald hatten die Bäcker kein Mehl mehr zum Brot backen. Die Mütter konnten also kein Brot mehr kaufen. Eine große Hungersnot kam über das Land. Die Kinder konnten abends nicht einschlafen, weil ihnen der Bauch weh tat vor Hunger. Sie riefen immer wieder zu ihren Müttern: »Gib mir Brot!«

Die Kinder streichen sich mit den Händen über den Bauch. Alle Kinder strecken die Hände aus und rufen: »Gib mir Brot!«

Nun lebte in der Stadt Myra zu jener Zeit auch der Bischof Nikolaus. Er war ein frommer Mann. Er kannte viele Geschichten von Jesus und er wollte so leben wie Jesus. Wo er konnte, half er deshalb den Menschen. Und die Kinder mochte er besonders gern. Und er erzählte ihnen viele Jesusgeschichten.
Manchmal ging er abends durch die Straßen der Stadt. Dann tat es ihm im Herzen weh, wenn er das Weinen und Rufen der hungrigen Kinder hörte. Wie gerne hätte er geholfen. Aber auch er hatte kein Brot.

Beide Hände aufs Herz legen.

Eines Tages kamen große Schiffe mit Getreide in den Hafen. Diese großen Schiffe gehörten dem Kaiser. Als Bischof Nikolaus von den Schiffen hörte, lief er sofort zum Hafen. Er sprach zum Kapitän der Schiffe: »Kapitän, hier in der Stadt Myra herrscht eine große Hungersnot! Bald werden die ersten Menschen vor Hunger sterben. Gib uns bitte Getreide, damit wir Brot backen können.«

Aus zwei als Häuser gefalteten Servietten (Farbe: braun oder beige) ein Schiff legen und ein Getreidesäckchen hineinstellen. Die Kinder haben das Getreidesäckchen zuvor im Kreis herumgehen lassen und wahrgenommen.

Der Kapitän antwortete: »Das Getreide gehört dem Kaiser! Ich darf es nicht verkaufen!« Da machte Bischof Nikolaus ihm einen Vorschlag: »Schenke du den Menschen in Myra von jedem Schiff hundert Säcke voll Getreide. Wenn du beim Kaiser ankommst, dann wird dir kein Gramm Getreide fehlen, da bin ich ganz sicher. Denn Gott wird dich für deine Güte belohnen. Du kannst mich selbst mit zum Kaiser nehmen. Wenn ich dir zu viel versprochen habe, dann soll der Kaiser mich dafür bestrafen!«

Schweren Herzens tat der Kapitän, was Nikolaus ihm vorschlug. Zwei Jahre lang konnten die Leute von Myra mit dem Getreide, das sie aus den Schiffen luden, Brot backen. Alle Menschen in der Stadt wurden wieder satt. Und es blieb sogar Getreide übrig, um auf den Feldern auszusäen.

Die Kinder teilen das Brot miteinander. Der Mitarbeiter/die Mitarbeiterin bricht für ein Kind ein Stückchen Brot ab, legt es in sein Haus und gibt das Brot an dieses Kind weiter. So verfahren alle Kinder. Wenn Brot in allen Häusern angekommen ist, isst jedes Kind sein Brotstückchen auf.

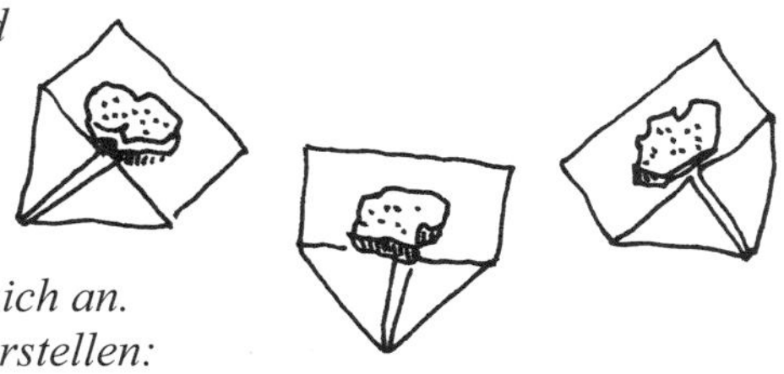

Alle Menschen dankten ihrem Bischof Nikolaus. Wie Jesus hatte er alle Menschen satt gemacht. Und als der Kapitän zum Kaiser kam, da fehlte kein Sack Getreide auf den Schiffen. Die Schiffe waren alle voll gefüllt bis an den Rand.
Deshalb nannten die Menschen Bischof Nikolaus bald auch den Heiligen Nikolaus. Denn er brachte Licht und Wärme von Gott zu den Menschen. So wie Jesus es auch getan hat.

Eine Gesprächsrunde schließt sich an. Impuls: »Könnt ihr euch das vorstellen: Alle Menschen werden satt und trotzdem sind die Schiffe wieder voll mit Getreide?« Erfahrungsgemäß äußern Kinder hier ihre sehr persönlichen Erklärungsversuche, und wir erfahren viel über ihren Glauben, wenn wir einfühlsam zuhören.

2. Drei goldene Kugeln

Die Geschichte

(Der Anfangsteil wird gestaltet wie bei der letzten Einheit, s. S. 33. Beim Bau der Stadt Myra baut die Leiterin diesmal ein besonders kleines Haus.)

Wie in allen Städten gab es auch in Myra reiche und arme Leute. Die einen hatten große Häuser mit prachtvollen Gärten. Die anderen wohnten in kleinen Häusern, je nachdem, was sie sich leisten konnten.

Ein Korb mit goldenen Kugeln wird in das Haus des Nikolaus gestellt. Er ist mit einem Tuch abgedeckt.

Manche von den Leuten sagten: »Nur wer viel Geld hat, ist auch etwas wert. Wer Geld hat, kann sich seine Wünsche erfüllen. Wer keines hat, der muss eben sehen, wo er bleibt.«
Der Bischof Nikolaus sah das anders. Er wusste: Jeder Mensch ist wichtig. Jeder Mensch ist wertvoll. Gott hat alle Menschen geschaffen. Deshalb trägt jeder einen wertvollen Schatz in seinem Herzen, viel wertvoller als alles Geld.

Jetzt deckt die Leiterin den Korb auf und nimmt eine goldene Kugel heraus. Sie trägt sie zu einem der Kinder und überreicht sie mit den Worten: »Du bist wertvoll!« oder »Du bist wichtig!« Das Kind legt die Kugel vorsichtig in sein Haus und fährt in gleicher Weise fort. Dies wiederholt sich, bis alle Kinder eine goldene Kugel erhalten haben.

Meditation und Gesprächsrunde zur Vertiefung

Meditation: Jetzt habt ihr alle eine goldene Kugel bekommen, so einen wertvollen Schatz. Nehmt diese goldene Kugel doch einmal ganz sorgsam in beide Hände und betrachtet sie genau.

Die Kinder betrachten ihre Kugel ganz genau.

Manchmal spüren wir, dass wir für andere Menschen wichtig und wertvoll sind.
Ich fühle es, wenn die Mutter mich in den Arm nimmt: »Ich bin wertvoll!« – Oder wenn ich an einen guten Freund oder eine gute Freundin denke und es in meinem Bauch so richtig kribbelt – dann sage ich in meinem Herzen: »Du bist mir wichtig!«
Schaut euch die Kugel noch einmal genau an. Und überlegt: Was macht man mit einem so wertvollen Schatz?

Jetzt legen wir unsere Kugeln in unser Haus. Dort ist unser Schatz sicher und gut aufgehoben.

Auf die Frage, was man mit so einem wertvollen Schatz machen könne, haben die Kinder sicher viele Antworten. Die Idee, den Schatz in eine Schatzkiste zu legen, lässt sich mit den Händen nachahmen: Die Kugel wird sorgfältig mit beiden Händen umschlossen. Die Idee, den Schatz in Ehren zu halten, lässt sich gestalten, indem die Kinder in ihrem Haus einen besonderen Platz mit Legematerialien, z. B. mit Märchenwolle, bereiten.

Fortsetzung der Erzählung

In der alten Stadt Myra lebte vor langer, langer Zeit ein Mann. Der hatte drei Töchter. Früher war er einmal sehr reich gewesen. Doch seine Geschäfte gingen nicht mehr gut. Oft gab es gar keine Arbeit für ihn. Er verdiente kaum noch genug Geld, um Getreide zu kaufen. Manchmal kam es vor, dass seine Frau Brot backen wollte, und die Mehlkiste war leer. Dann bat die Frau die Nachbarn um Hilfe.
Sie klopfte an jede Haustür und sagte: »Bitte, gib mir Brot!« Aber die Nachbarn schüttelten den Kopf und sagten: »Nein, wir haben selber zu wenig!«

Drei goldene Kugeln werden in das kleine Haus gelegt, das die Leiterin beim Aufbau der Stadt gemacht hat.

Paarweise spielen die Kinder die Szene. Ein Kind klopft an den Stuhl seines Nachbarn und hält die Hand zur offenen Schale geformt hin und sagt: »Bitte, gib mir ein Stück Brot!« Der jeweilige Nachbar schüttelt den Kopf. Rollenwechsel in einer zweiten Runde.

Der Vater dachte: »Bald sind meine drei Töchter alt genug, um zu heiraten. Dann brauchen sie eine eigene Wohnung, Betten und Schränke. Sie brauchen Stühle und Tische und Geschirr. Was soll ich nur tun? Ohne Gottes Hilfe werde ich ihnen all das nicht geben können!« Die Familie hatte also große Sorgen, weil sie so arm waren. Und man sah es ihnen an. Die Töchter lachten kaum noch, und die Eltern gingen gebeugt vor lauter Kummer.

Die Leiterin nimmt die drei goldenen Kugeln aus dem Haus und verbirgt sie in einem schwarzen Tuch auf ihrem Schoß.

Schon bald geschah es, dass ein junger Mann ins Haus kam. Er hatte die älteste der Töchter sehr lieb. Und sie hatte ihn auch ins Herz geschlossen. Beide wollten heiraten.
Doch der Vater sagte traurig: »Ihr könnt nicht heiraten. Denn ich kann euch nichts

geben, kein Bett und keinen Schrank, keinen Tisch und keine Stühle und auch kein Geschirr. Wir sind zu arm.« Da weinte die älteste Tochter bitterlich bis weit in die Nacht hinein.
In dieser Nacht kam aber der Bischof Nikolaus am Haus der Familie vorbei. Er hörte das Weinen der jungen Frau, und es drang ihm ins Herz.
Voller Mitleid warf er eine goldene Kugel durch das offene Fenster in ihr Schlafzimmer.

Die Kinder halten ihre Hände an ihr Herz.

Die Leiterin legt eine der goldenen Kugeln in das Haus zurück.

Doch die Not der Familie war noch nicht zu Ende. Auch die zweite Tochter hatte einen jungen Mann lieb gewonnen, und die beiden wollten heiraten. Auch der zweiten Tochter konnte der Vater nichts geben, weder Tisch noch Stuhl, weder Bett noch Schrank und auch kein Geschirr. Auch die zweite Tochter weinte daraufhin die ganze Nacht. Und wieder kam der Bischof Nikolaus mit seinem großen, weiten Herzen heimlich zu Hilfe. Auch diesmal warf er eine goldene Kugel ins Haus.
Die Hochzeit der zweiten Tochter konnte gefeiert werden.

Die Kinder halten ihre Hände an ihr Herz.

Die Leiterin legt eine der goldenen Kugeln in das Haus zurück.

Nicht lange Zeit später wollte auch die dritte Tochter gerne heiraten. Doch auch sie wusste, dass ihr Vater ihr nichts geben konnte. »Ohne fremde Hilfe werde auch ich nicht heiraten können«, dachte sie bei sich und weinte bitterlich in der Nacht.
Der Vater aber war neugierig geworden.

Diesmal, bei seiner dritten Tochter, wollte der Vater wissen, woher die geheimnisvolle Hilfe kam. Er wollte dem großzügigen und gütigen Helfer danken. Deshalb wachte er die ganze Nacht am offenen Fenster.
Mit einem Mal hörte er, dass wieder eine goldene Kugel durch das Fenster geworfen wurde und im Zimmer auf den Boden fiel. Schnell eilte der Vater hinaus. In der Dunkelheit sah er einen Mann die Straße entlanggehen und folgte dem geheimnisvollen Fremden. Als er den Mann eingeholt hatte, erkannte er, dass es der Bischof Nikolaus war. Der Vater fiel auf die Knie, um ihm zu danken. Der Bischof Nikolaus aber wehrte ab. Er sprach: »Guter Mann, jeder Mensch trägt einen wertvollen Schatz in seinem Herzen, wertvoller als alles Geld. Deshalb konnte ich nicht zulassen, dass deine Töchter so leiden müssen. Geh und danke Gott, der jeden Menschen als etwas so Wertvolles erschaffen hat und der uns alle am Leben

Die Kinder halten ihre Hände an ihr Herz.

Die Leiterin legt eine der goldenen Kugeln in das Haus zurück.

erhält!« Der Vater tat, wie Nikolaus gesagt hatte. Er dankte Gott dafür, dass er ihm durch den Bischof geholfen hatte. Er und seine Familie lebten glücklich bis ans Ende ihrer Tage.
So brachte der Bischof Nikolaus Gottes Hilfe zu den Menschen. Viele Menschen rettete er aus großer Not. Gerade so wie auch Jesus es getan hat. Deshalb wurde der Bischof Nikolaus schon bald von vielen der Heilige Nikolaus genannt.

Materialliste für die Gestaltung der Bodenbilder

Für beide Einheiten: Vier Teelichter, Tannenzweige, verschiedenfarbige Papierservietten (oder Tücher) entsprechend der Anzahl der Teilnehmenden.

Für die erste Einheit zusätzlich: Zwei beige Servietten, ein in ein weißes Tuch eingeschlagenes Fladenbrot oder Brötchen, ein Getreidesäckchen.

Für die zweite Einheit zusätzlich: »Goldene Kugeln« entsprechend der Anzahl der Teilnehmenden und drei weitere (z. B. in Goldpapier eingewickelte Tennisbälle oder Murmeln, Ferrero Rochér),
Märchenwolle, eine große und eine kleine Serviette (oder Tücher) für die Häuser des Bischofs und der Familie.

Gebete und liturgische Gestaltung

(Die Sitzordnung im Stuhlkreis ermöglicht, dass in der Mitte ein großer Adventskranz aus Zweigen und Teelichtern gelegt wird. Die Eingangsliturgie nimmt das Thema Dunkelheit und Licht auf.)

Begrüßung

Es ist Advent. Weil Jesus zu uns Menschen kommen will, zünden wir heute eine / zwei / drei / vier Kerze/n am Adventskranz an. Das Licht der Kerze am Adventskranz sagt uns: Jesus kommt!

Eingangsgebet

Lieber Gott,
es ist kalt geworden.
Die Nacht war lang und dunkel.
Wenn es kalt und dunkel ist, dann möchte keiner gerne alleine sein.
Deshalb ist es gut, dass wir nun zusammen sind.
Wir bitten dich: Sei bei uns mit deinem Licht und deiner Wärme
in dieser dunklen, kalten Zeit. Amen.

Schlussgebet

Lieber Gott,
wir haben die Geschichte vom Bischof Nikolaus gehört.
Er hat Menschen geholfen, die in Not waren.
Wir danken dir, dass du auch für uns sorgst
und uns gibst, was wir zum Leben brauchen.
Wir haben genug zu essen. Eltern und Großeltern sind für uns da.
Wir haben Freundinnen und Freunde.
Wir bitten dich: Lass uns aufeinander Acht haben
und lass uns anderen helfen, die in Not sind. Amen.

Ein Licht geht uns auf

2. Ein Licht weist den Weg, der zur Hoffnung führt,
erfüllt den Tag, dass es jeder spürt.
Licht der Liebe, Lebenslicht, Gottes Geist verlässt uns nicht.

3. Ein Licht macht uns froh, wir sind nicht allein.
An jedem Ort wird es bei uns sein.
Licht der Liebe, Lebenslicht, Gottes Geist verlässt uns nicht.

Das Lied »Niklaus ist ein guter Mann« siehe Seite 40. ▶

Niklaus ist ein guter Mann

(Die erste und zweite Strophe beziehen sich auf die erste Erzählung, die dritte Strophe gehört zur zweiten Erzählung.)

Text: Ellen Eidt
Weise: aus dem Hunsrück
Rechte: Ellen Eidt (T)

2. Not und Hunger kamen übers Land,
da füllt allen er mit Korn die Hand.
Niklaus ist ein guter Mann, hilft den Menschen, wo er kann,
hilft den Menschen, wo er kann.

3. Als die Mädchen weinten in der Nacht,
da hat Niklaus ihnen Gold gebracht.
Niklaus ist ein guter Mann, hilft den Menschen, wo er kann,
hilft den Menschen, wo er kann.

»Am Weihnachtsbaum die Lichter brennen«

Vom Christbaum und seinem Schmuck

Hans Villinger

Das Thema und die Kinder

Der Entwurf bringt den Kindern die symbolischen Bedeutungen von Christbaum und Christbaumschmuck nahe.

Biblischer Bezug

Über die Symbole des Christbaumschmucks ergeben sich vielgestaltige Bezüge zu biblischen Texten: zur Paradiesgeschichte, zur Weihnachtsgeschichte, zur Passionsgeschichte, zu Jesus als dem Licht der Welt (Johannes 8,12) und zur Versöhnungslehre, wie sie Paulus beschreibt (z. B. Galater 4,4–5 und Römer 8,3–4).

Bausteine zur Gestaltung

Der Entwurf bietet vier Erzählungen mit den Titeln »O Tannenbaum, o Tannenbaum« (Warum gerade der Tannenbaum ein Christbaum ist), »Strohsterne und andere Sterne«, »Der schönste Christbaumschmuck«, »Der Weihnachtsbaum der Großeltern« (Wie ein Weihnachtsbaum auch ganz anders aussehen kann). Alle Erzählungen münden ein in bekannte Weihnachtslieder: »O Tannenbaum«, »Stern über Bethlehem« (LJ 326; KG 42; SL 125), »Der Christbaum ist der schönste Baum« (siehe S. 45) und »Es ist ein Ros entsprungen« (EG 30; GL 132; LJ 36). Ferner gibt es zu jeder Geschichte einen Gebetsvorschlag. Bastelanleitungen werden ebenfalls geboten (Materialliste siehe S. 47).

■ Inhaltliche Überlegungen

Einen Christbaum kennt jedes Kind – und auch, was man so alles dranhängen kann. Aber dass der Baum und der Schmuck eine je eigene, symbolische Bedeutung haben, ist auch den meisten Erwachsenen nicht bekannt. Wer mit dem Symbolrepertoire des Christbaums vertraut ist, ja, sozusagen gedanklich mit ihm zu spielen versteht, kann detaillierter wahrnehmen und die Atmosphäre der Heiligen Nacht vielleicht auf andere Weise genießen. Das Ziel des Entwurfs ist es, den Zugang zu einem solchen tieferen Verständnis auch Kindern zu erschließen.

■ Zur Gestaltung

Die Erzählungen

Die Geschichte

1. O Tannenbaum, o Tannenbaum

Es ist einige Tage vor Weihnachten. Peter kann es fast nicht mehr erwarten. Er erinnert sich noch genau an das letzte Jahr. Die ganze Familie versammelte sich im Kinderzimmer und wartete. Ein Glöckchen läutete. Dann gingen sie miteinander ins Wohnzimmer, Mutter, Vater, Barbara und er. In der Ecke stand der Baum – dort, wo sonst der Platz für den Fernseher ist. Die Kerzen brannten. Der Baum war über und über geschmückt mit Äpfeln und Sternen und kleinen Engelfiguren. Unter dem Baum lagen die Geschenke.

Peter war völlig überrascht gewesen. Er hatte nicht bemerkt, wie der Baum ins Zimmer gekommen war. Staunend stand er vor dem Lichterbaum. Ein Wunderbaum wie aus dem Paradies. Vom Paradies sangen sie dann sogar auch: »Heut schließt er wieder auf die Tür zum schönen Paradeis ...« Doch das war Peter gar nicht aufgefallen. Er hatte nur immer wieder den Baum anschauen müssen – wunderschön! So also war es im letzten Jahr gewesen.

Für diesmal hat die Mutter Peter versprochen: »Du darfst beim Schmücken des Weihnachtsbaums helfen.« Doch Tag um Tag vergeht. Peter wird unruhig. Beim Nachbarn steht schon ein Bäumchen auf den Balkon. Zwei Tage vor dem großen Fest ist es endlich so weit. Der Vater sagt zu Peter: »Heute kaufen wir unseren Christbaum. Kommst du mit?«

Gemeinsam gehen sie los. Es ist kalt, aber noch liegt kein Schnee. Beim Brunnen auf dem Marktplatz stehen und liegen einige Tannenbäume. Da kann man welche kaufen. Ein Traktor mit Anhänger bringt gerade eine neue Fuhre. Da ruft es von der Seite: »Frisch aus dem Wald!« Der Christbaumverkäufer hält dem Vater ein Bäumchen entgegen. Doch Vater meint: »Nein danke, wir schauen uns erst einmal selbst um.«

Baum um Baum richtet der Vater auf. Peter muss begutachten: Ist der Baum gerade gewachsen? Sind keine Äste abgeknickt? Ist er zu klein oder zu groß? Schnell lernt Peter den Unterschied zwischen den normalen Rottannen oder Fichten und den teuren Edeltannen. Bei den Rottannen stehen die Zweige viel dichter beieinander. Die Nadeln der Edeltannen haben einen hellen Schimmer. An manchem Baum sind die Nadeln richtig stachelig. Endlich entscheiden sich Vater und Sohn für eine Rottanne. Gleichmäßig laden die unteren Zweige aus. Nach oben hin werden sie immer kleiner. Die Spitze streckt sich, als ob sie zum Himmel wachsen wolle. »Dort oben stecken wir unseren Stern hin«, sagt Vater.

Peter macht eine Entdeckung: »Guck nur, immer gehen am Ende rechts und links kleine Zweige ab. Das sieht aus wie ein Kreuz.« Der Vater nickt und meint: »Ja, damit hat es etwas ganz Besonderes auf sich. So erinnert uns nämlich der Tannenbaum schon am Geburtstag Jesu daran, wie seine Geschichte zu Ende geht.«

Sie bezahlen. Der Verkäufer verpackt den Baum. Das geht ganz schnell: Er zieht ihn durch ein Rohr, das aussieht wie ein dicker Trichter, und am Ende stülpt er von unten bis oben ein Netz drüber. Nun ist der Baum viel handlicher als vorher. Der Vater und Peter können ihn gut tragen.

Auf dem Heimweg will Peter etwas wissen. Er fragt: »Warum sind Christbäume eigentlich immer Tannenbäume?« Vater sagt: »Überleg mal. Würde ein Apfelbaum passen oder eine Birke?« Peter schüttelt den Kopf. Nur Tannen sind auch im Winter grün und behalten ihre Nadeln. Peter singt vor sich hin, was sie im Kindergarten gelernt haben:

»O Tannenbaum, o Tannenbaum,
wie treu sind deine Blätter!
Du grünst nicht nur zur Sommerzeit,
nein, auch im Winter, wenn es schneit.
O Tannenbaum ...«

Und Vater kennt noch eine andere Strophe:

»O Tannenbaum, o Tannenbaum,
dein Kleid will mich was lehren:
Die Hoffnung und Beständigkeit
gibt Trost und Kraft zu jeder Zeit.
O Tannenbaum ...«

2. Strohsterne und andere Sterne

Die Geschichte

Am Samstag haben Vater und Peter den Christbaum gekauft. Jetzt steht er auf der Terrasse. In dem Netz, das ihn zusammenhält, sieht man gar nicht, wie schön er ist. Mutter meint: »Wenn er euch beiden gefallen hat, dann gefällt er bestimmt auch mir. Und so richtig schön wird der Christbaum sowieso erst, wenn wir ihn geschmückt haben.«

Es ist Sonntag. Als es draußen dunkel wird, zündet Mutter alle vier Kerzen am Adventskranz an. Dann holt sie das Bügeleisen und das Bügelbrett. »Willst du jetzt etwa Wäsche bügeln?«, fragt der Vater. Peter aber sieht gleich, was Mama vorhat: Sie will Strohhalme glatt bügeln, um daraus Strohsterne zu basteln.

Natürlich will Peter auch einen Strohstern machen. Mutter schneidet einige Streifen Stroh zurecht und zeigt ihm, wie man sie zusammenbinden muss. Das ist schwieriger, als es sich Peter vorgestellt hat. Die Strohhalmstücke rutschen immer wieder auseinander. Als Peter schließlich doch einen Stern fertig gebracht hat, lacht Barbara, seine große Schwester, nur: »Der sieht ja aus, wie wenn er einen Bauchpflatscher machen würde!« Da gibt Peter auf. »Ich schneide lieber einen Stern aus Goldpapier aus. Das habe ich im Kindergarten gelernt!« – »Meinetwegen«, meint die Mutter. »Sterne am Christbaum müssen nicht aus Stroh sein. Das Stroh erinnert nur daran, dass Maria ihr Kind, den kleinen Jesus, nicht in ein weiches Bettchen legen konnte. Sie musste ihn auf Heu und Stroh betten.«

»Mama, wozu hängt man überhaupt Sterne an den Christbaum?«, will Peter nun wissen. »Überlege mal!«, fordert ihn die Mutter auf. Peter denkt nach, und ihm fällt ein: »Der Stern hat doch den drei Königen den Weg gezeigt!« – »Ja, ohne den Stern hätten die doch gar nicht gewusst, dass das Jesuskind geboren ist«, ruft Barbara in die Runde.

So entsteht ein Stern nach dem anderen. Es werden richtig viele. Vater meint: »Ihr habt ja bald mehr Sterne, als am Himmel sind!« – »Glaubst du?«, fragt Peter, »ich zähl mal nach«. Er tritt hinaus auf die Terrasse. Noch sieht man nur wenige Sterne. Einer leuchtet besonders hell. »Papa, ist das da oben der Bethlehemstern?«, ruft Peter ins Zimmer zurück. Der Vater kommt heraus und erklärt: »Sicher nicht, das ist der Abendstern.« – »Gibt es eigentlich auch einen Morgenstern?« – »Ja, den gibt es. Wenn der am Himmel leuchtet, dann weiß man, dass die Nacht bald zu Ende ist und der neue Tag kommt.«

Obwohl es kalt ist, stehen die beiden lange miteinander auf der Terrasse und beobachten, wie immer mehr und mehr Sterne am Himmel zu leuchten beginnen. »Also, ich glaube nicht, dass wir mehr Sterne gebastelt haben, als da oben sind«, sagt Peter.

Aus dem Zimmer hören sie, wie Barbara ein Lied singt. Ein schönes Lied. Sie hat es in der Schule gelernt:

»Stern über Bethlehem, zeig uns den Weg,
führ uns zur Krippe hin, zeig, wo sie steht,
leuchte du uns voran, bis wir dort sind,
Stern über Bethlehem, führ uns zum Kind!«

Die Geschichte

3. Der schönste Christbaumschmuck

Beim Schmücken des Christbaums am nächsten Tag wollen alle mithelfen. Peter dauert es viel zu lange, bis der Baum fest im Ständer steht und nicht mehr nach einer Seite hin kippt. Dann muss der Vater den Baum hin und her drehen. Die Mutter entdeckt auf der einen Seite eine Lücke in den Zweigen und auf der anderen Seite einen Ast, der zu weit ins Zimmer reicht. Endlich ist sie zufrieden. Nun kann das Schmücken losgehen.

Peter bringt seine Sterne. »Halt, langsam!«, ruft der Vater. »Zuerst kommen die Äpfel!« Stimmt ja! Peter hat schon am Nachmittag die roten Äpfel blank gerieben und die Mutter hat kunstvoll einen Wollfaden um den Stiel gewickelt. Nun bindet der Vater die freien Enden der Fäden an die Zweige des Christbaums.

Plötzlich klingelt es. Die Nachbarsfrau steht unter der Tür. Sie möchte eine Tasse Milch für den Pudding borgen, den es heute Abend bei ihr zum Nachtisch geben soll. Die Mutter bittet sie herein: »Frau Weingärtner, schauen sie nur, was für einen schönen Baum wir in diesem Jahr haben!« – »Sie hängen Äpfel an den Baum?«, fragt Frau Weingärtner. »Ja«, antwortet der Vater, »wenn die Äpfel die Äste etwas herunterziehen, stehen die Kerzen besser.« Die Mutter erklärt weiter: »Wissen Sie, die Äpfel erinnern auch an Adam und Eva, wie sie von der verbotenen Frucht aßen und darum aus dem Paradies ausgeschlossen wurden.« – »Eigentlich ist das ja eine traurige Sache«, meint Barbara. Die Mutter stimmt zu: »Du hast Recht. Aber hat nicht Gott gerade deshalb Jesus geschickt als Zeichen, dass er uns Menschen wieder annimmt, ganz frei, grade so, wie wir sind?« – »Da hast du Recht«, stimmt Barbara der Mutter zu, und auch die Nachbarin nickt. Peter versteht nicht ganz, was die Großen da reden. Aber er denkt: »Meine Mama weiß doch prima Bescheid!«

Als Frau Weingärtner mit ihrer Tasse Milch gegangen ist, holt der Vater den Kasten mit der elektrischen Lichterkette. Doch die Mutter wehrt ab: »Dieses Jahr nehmen wir wieder richtige Kerzen. Die sind viel schöner. Peter ist nicht mehr so klein, dass er nicht Acht geben könnte.« – »Meinst du wirklich? – Licht ist doch Licht. Ob elektrisch oder mit echten Kerzen: Beides erinnert doch gleich gut an Jesus, von dem es in der Bibel heißt, dass er das Licht der Welt ist«, sagt der Vater ein bisschen gereizt. »Wenn du willst, dann machen wir's halt so. Ich stelle aber vorsorglich einen Eimer Wasser in die Ecke.«

Peter darf die Kerzen an den unteren Ästen aufstecken. Der Vater steigt auf einen Stuhl, um auch ganz oben an den Zweigen Kerzen anzubringen. Dann erst kommen die Sterne, die großen unten und oben die kleinen. Ganz oben aber, fast an der Spitze, findet eine großer Stern aus Goldpapier seinen Platz. »Das ist bestimmt der Stern der Weisen«, findet Peter. Die Mutter bringt eine Schachtel mit vielen kleinen, bunt bemalten Holzfiguren. Engel mit Flügeln und Trompeten und Pfeifen, Schafe, Weihnachtsmänner, ein Bäcker, ein Schornsteinfeger und ein Schlitten sind darin. »Was soll das alles?«, schüttelt der Vater den Kopf. »Engel und Schafe kommen ja schon in der Weihnachtsgeschichte vor, aber die ganzen anderen Spielfiguren?« – »Ach, lass doch, wenn Peter Spaß daran hat. Schließlich war auch Jesus ein kleines Kind«, sagt die Mutter.

Endlich ist der Christbaum genug geschmückt. Nun müssen nur noch die Kerzen angezündet werden. Doch da ruft Peter aufgeregt: »Meine Ketten, die fehlen noch!« Richtig, Peter hat schon vor einigen Tagen Ketten aus rotem und gelbem und silbrigem Staniolpapier aus dem Kindergarten nach Hause gebracht. Wie bunte Girlanden legt er sie über die unteren Äste des Baumes. Als Barbara sogar noch ein paar weiße Papierblumen anbringt und an den Zweigen festmacht, da sind sie alle miteinander überzeugt: So schön wie ihr Baum ist kein anderer!

Der Christbaum ist der schönste Baum

Text: Johannes Karl (1806-1887)
Weise: G. Eisenach (1842)

2. Denn sieh', in dieser Wundernacht
ist einst der Herr geboren,
der Heiland, der uns selig macht;
hätt er den Himmel nicht gebracht,
wär alle Welt verloren,
wär alle Welt verloren, verloren.

3. Doch nun ist Freud' und Seligkeit,
ist jede Nacht voll Kerzen,
auch dir, mein Kind, ist das bereit,
dein Jesus schenkt dir alles heut',
gern wohnt er dir im Herzen,
gern wohnt er dir im Herzen, im Herzen.

4. O lass ihn ein, es ist kein Traum!
Er wählt dein Herz zum Garten,
will pflanzen in den engen Raum
den allerschönsten Wunderbaum
und seiner treulich warten,
und seiner treulich warten, ja warten.

Die Geschichte

4. Der Weihnachtsbaum der Großeltern

Am ersten Weihnachtsfeiertag fährt die Familie zu Vaters Eltern. Als sie in die Weihnachtsstube der Großeltern treten, bleibt Peter unter der Türe stehen. Mit großen Augen starrt er auf den Christbaum. Er sieht so anders aus als der Baum zu Hause. Er wirkt irgendwie feierlicher und vornehmer. Liegt das daran, dass es eine Weißtanne ist? Oder liegt es an den glitzernden, silbrigen Glaskugeln und am vielen Lametta? Der Baum zu Hause mit Äpfeln und roten Kerzen kommt Peter heimeliger, wärmer vor, aber er kann es nicht sagen.

Die Mutter ahnt, was ihr Junge denkt. Sie will ihn aber nicht fragen, welcher Baum ihm besser gefällt. Sie sagt nur: »Nicht wahr, du wunderst dich. Aber wie die Großeltern ihren Baum geschmückt haben, das hat auch einen guten Sinn. Du weißt doch: Die Weisen haben dem Jesuskind viele kostbare Geschenke gebracht. Daran erinnern die Glaskugeln und das Lametta. Und bei dem Engel aus Goldpapier an der Spitze des Christbaums denke ich an den Engel, der den Hirten die Geburt des Jesuskindes verkündet hat.« Vater erzählt: »Als Kind habe ich geglaubt, ein richtiger Weihnachtsbaum muss unbedingt so aussehen. Dass man den Baum auch ganz anders schmücken kann, habe ich erst erlebt, als ich eure Mama kennen lernte.«

Als sie am Abend die Kerzen anzünden und miteinander mit den Großeltern Weihnachtslieder singen, ist der Baum Peter schon wohl vertraut. Barbara holt ihr Geschenk für die Großeltern: weiße Papierblumen. Sie heftet sie an die Zweige. Jetzt wagt auch Peter, die Ketten aus Staniolpapier aufzuhängen, die er für Oma und Opa gebastelt hat. Sie stören nicht, auch wenn der Baum durch sie viel bunter wird.

Großvater fragt Peter, ob er auch weiß, was die Ketten zu bedeuten haben. Peter meint: »Die sind zum Schön-Aussehen da! Was denn sonst?« Doch der Großvater erzählt: »Wir waren einmal im Urlaub in Spanien. Dort hängen an manchen Kirchen richtige Eisenketten. Wir haben uns gewundert. Der Reiseführer hat es uns erklärt: Die Ketten stammen von Sklaven, die von mitleidigen, reichen Herren freigekauft worden sind. Die Freigelassenen haben sie zum Dank für ihre Befreiung aufgehängt. Genauso erinnern die Ketten am Christbaum daran, dass Jesus uns Menschen von den Ketten der Sünde und Schuld freigemacht hat.« Peter versteht nicht, was Großvater mit all dem meint, aber er sieht, dass der Vater seinem Vater zunickt. Dann muss es wohl irgendwie stimmen.

Nun muss auch Barbara erklären, weshalb sie Papierblumen für den Christbaum gebastelt hat. »Die weißen Blumen sind Christrosen. Die echten Christrosen blühen im Winter, wenn es keine anderen Blumen im Garten mehr gibt. Sie erinnern an Jesus, der wie diese Blumen in Nacht und Kälte zur Welt gekommen ist. Deshalb heißen sie auch so: Christrosen.« – »Prima geantwortet«, lobt der Großvater seine Enkelin. Und Vater schlägt vor, dass sie miteinander das alte Lied singen: »Es ist ein Ros‘ entsprungen aus einer Wurzel zart«. Da heißt es in der Mitte: »Und hat ein Blümlein bracht mitten im kalten Winter wohl zu der halben Nacht.«

Bastelanleitungen

Materialliste

Christbaum-Anhänger:
dünner Karton, Weißleim, Geschenkbänder, Samen und Körner.

Strohstern:
gelber Karton, gebügelte Strohhalmstücke gleicher Länge (6 – 10 cm), Kleber.

Adventspyramide:
je vier gleich große Äpfel, Kerzen und Schaschlikstäbchen (15 – 20 cm).

Strohkette:
gebügelte halbierte Strohhalme, kleine Glanzpapierstreifen.

Christbaum-Anhänger

Auf dünnen Karton werden jeweils paarweise weihnachtliche Motive aufgemalt, z. B. mit einem Ausstech-Backförmchen als Schablone (siehe auch die Vorlagen auf S. 48). Die Paare werden ausgeschnitten und auf der einen Seite mit Samen und Körnern beklebt. Dann leimt man die beiden anderen Seiten aufeinander (vorher prüfen, dass man nicht spiegelverkehrt arbeitet). Dabei wird zwischen beiden ein Geschenkband als Aufhänger angebracht.

Strohstern

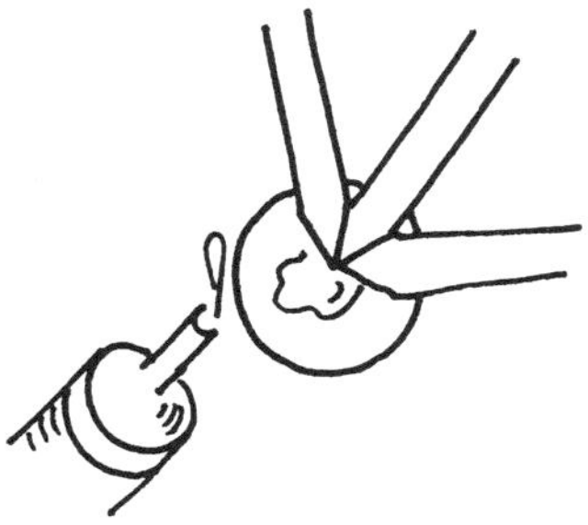

Aus gelbem Karton wird ein Kreis von acht Zentimetern Durchmesser ausgeschnitten. Auf diesen Kreis werden insgesamt acht oder sechzehn Strohhalmstücke von der Mitte aus aufgeklebt, und zwar vier bzw. acht auf der Vorder- und vier bzw. acht auf der Rückseite, jeweils versetzt. Dabei ist zu beachten, dass die Spitzen der Halme in der Mitte gut aneinander passen. Mit einem Zwirnfaden wird der Stern an einem Strahl mit einem Aufhänger versehen.

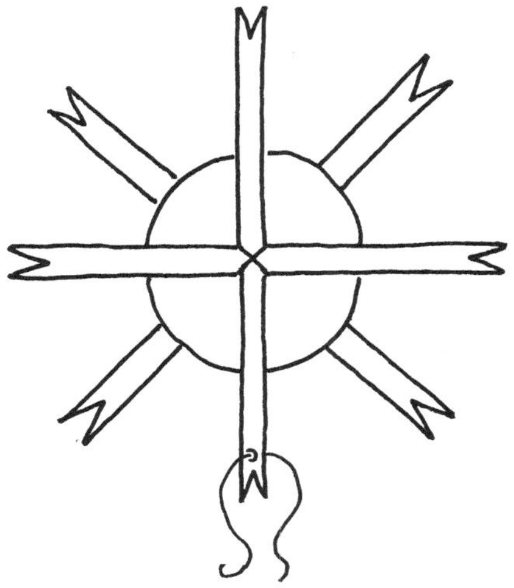

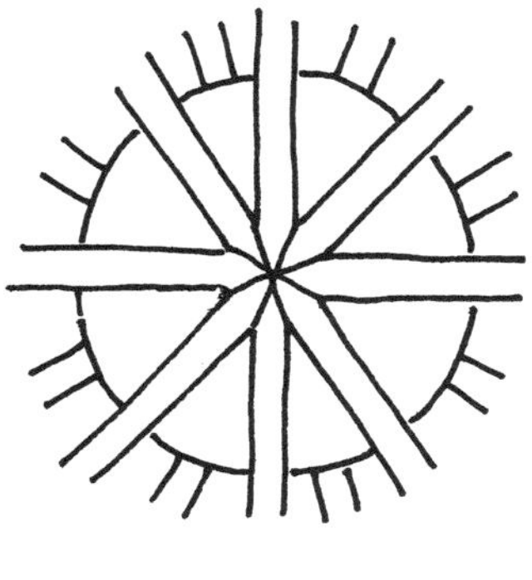

Schablonen für
Christbaumanhänger

Adventspyramide

Die vier Äpfel werden ausgehöhlt und dienen als Kerzenständer. Die Kerzen halten besser, wenn die Löcher mit etwas Tannenreisig ausgestopft werden. Mit vier Schaschlikstäbchen werden die Äpfel zu einer Pyramide mit drei dreieckigen Seiten und einem dreieckigen Boden verbunden (Tetraeder).

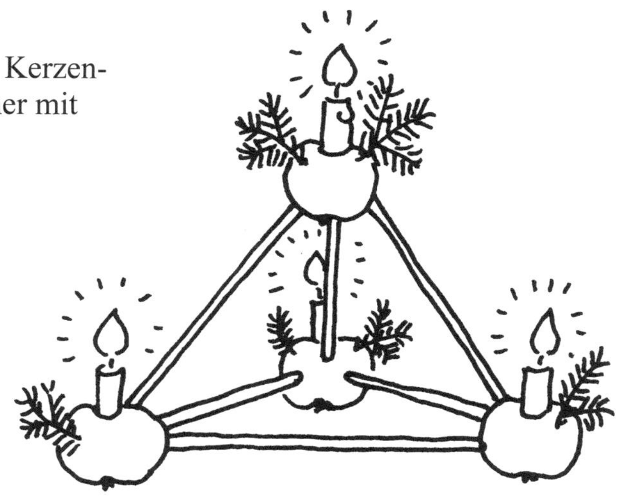

Strohkette

Aus halbierten Strohhalmen werden größere runde Kettenglieder geformt, die mit kleineren Kettengliedern aus Glanzpapierstreifen verbunden werden.

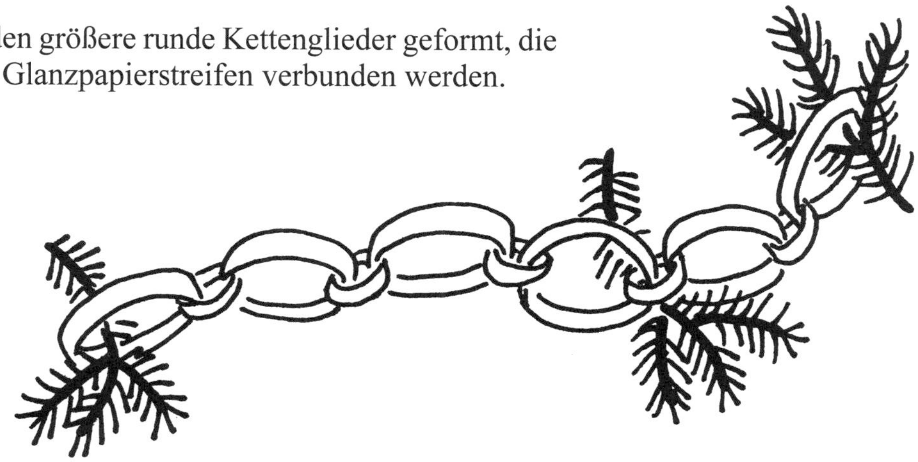

Gebete für die Adventszeit

Lieber Gott,
jetzt brennt die erste Kerze am Adventskranz.
Es ist schön, wenn Kerzen es hell machen im dunklen Zimmer.
Du hast die Menschen lieb. Das ist wie das Licht von vielen Kerzen.
Lass das Licht deiner Liebe bei uns leuchten,
damit es bei uns nicht dunkel bleibt und die Angst verschwindet.
Wir denken an alle, die traurig sind. Lass es bei ihnen hell werden,
so dass auch sie sich auf Weihnachten freuen können. Amen.

Lieber Gott,
wir haben heute Sterne gebastelt. Das war ganz schön schwierig.
Ein Stern hat den drei Königen den Weg zum Jesuskind gezeigt.
Auch wir möchten gerne jemanden haben,
der uns den rechten Weg zeigt,
damit unser Herz froh und unser Leben gut wird.
Gott, sei du unser Stern.
Wir denken an die, die sich verirrt haben und nicht weiter wissen.
Lass sie einen Weg zum Guten finden. Amen.

Lieber Gott,
auf dem Beet vor dem Haus blüht eine Blume trotz der Kälte.
Mitten im Winter ist sie gewachsen.
Wir staunen darüber und freuen uns an ihr.
Auch wo man es nicht erwartet, kann etwas Schönes hervorbrechen.
So geht es auch in unserem Leben, wo du uns hilfst.
Lass uns auf dich vertrauen, weil du es gut mit uns meinst.
Sei mit deiner Kraft bei den Menschen, die krank und schwach sind
und sich nicht selbst helfen können.
Gib ihnen Freunde, die zu ihnen stehen und sie nicht alleine lassen.
Amen.

Lieber Gott,
wir können kaum noch erwarten,
dass es endlich Weihnachten wird.
Werden unsere Wünsche erfüllt? Wir würden uns so freuen!
Lass das Weihnachtsfest ein Fest werden
ohne Ärger und Streit bei uns daheim.
Lieber Gott, du hast uns mit dem Jesuskind gezeigt,
wie sehr du uns lieb hast und wie nah du bei uns sein willst.
Dafür danken wir dir. Und wir bitten dich:
Hilf uns, dass auch wir einander zeigen können, wie lieb wir uns haben.
Amen.

Geschichten von Gott und der Welt

Mitleben – Mitleiden – Mitfreuen

Das Leben miteinander bestehen

CHARLOTTE ALTENMÜLLER

Das Thema und die Kinder

Zum Miteinander-Leben (auch als Christen) gehört es, die anderen Menschen um uns herum wahrzunehmen, sich miteinander zu freuen, aber auch das Leid der anderen mitzutragen. In drei Schritten (z. B. in drei Kindergottesdiensten/Kindergarteneinheiten) wollen wir diese Fähigkeiten mit den Kindern entdecken.

Bausteine zur Gestaltung

Zu diesem Thema werden verschiedene Bausteine angeboten:
— zwei Erzählungen (eine davon nach einer Heilungsgeschichte aus dem Johannesevangelium)
— ein Lied: »Schau ich übern Gartenzaun«
— ein Psalmgebet
— eine kreative Vertiefungsmöglichkeit (Plakatgestaltung).

Inhaltliche Überlegungen

Mitleid – das weckt bei uns Erwachsenen oft zwiespältige Gefühle. Einerseits wollen wir ja nicht hartherzig Menschen gegenüber sein, denen es schlecht geht. Andererseits hören (und sagen) wir Sätze wie »Ich will kein Mitleid« oder »Das tust du doch bloß aus Mitleid«. Ist es nicht merkwürdig, dass Mitleid bei uns einen so negativen Beigeschmack bekommen hat?
Sicherlich – ein Mitleid, bei dem wir auf den Leidenden herabsehen, gehört nicht in den christlichen Umgang miteinander. Aber wirklich mit jemandem mit-leiden, ihn begleiten in seinem Leid, ihn nicht ausgrenzen in seiner Leidenszeit, sollte doch fester Bestandteil unseres gemeinsamen Lebens sein.

Manchmal wird gesagt, dass jüngere Kinder nicht in der Lage wären, Mitleid zu empfinden, da sie sich noch nicht in andere Menschen hineinversetzen könnten. Auf der anderen Seite aber erleben wir oft ganz spontanes, impulsives Mitleid von Kindern, z. B. wenn sich jemand wehgetan hat oder einem anderen Kind etwas misslingt. Kinder empfinden vor allem dann Mitleid, wenn ihnen die Situation dessen vertraut ist, der leidet (z. B. sich verletzen, geärgert werden, traurig sein).

Zur Gestaltung

Vorschlag für die Abfolge der Kindergottesdienste/Einheiten

1. Miteinander leben wir
— Lied: »Schau ich übern Gartenzaun« (s. S. 54)
— Gesprächsrunde
— Plakatgestaltung »Gartenzaun«
— Psalmgebet

2. *Wir freuen uns miteinander, wir leiden bei dem anderen mit*
— Lied: »Schau ich übern Gartenzaun«
— Psalmgebet
— Erzählung: »Jan und seine Mäuse«
— Gesprächsrunde zu eigenem Erleben

3. *Mitleben – Mitleiden – Mitfreuen*
— Lied: »Schau ich übern Gartenzaun«
— Erzählung: »Jesus heilt den Sohn eines königlichen Beamten« (Joh 4,46-56)
— Psalmgebet
— Gartenzaun-Plakat wird erweitert

Psalmgebet
(Den kursiv gedruckten Kehrvers sprechen alle gemeinsam.)

Gott, du bist unser Freund.
Durch dich gehören wir alle zusammen.

Es gibt Tage, da treffe ich viele Leute.
Wir reden, arbeiten und spielen miteinander.
Wir erzählen uns, was uns wichtig ist.
Es ist gut, nicht alleine zu sein.

Gott, du bist unser Freund.
Durch dich gehören wir alle zusammen.

Es gibt Tage, da geht es mir nicht gut.
Manchmal bin ich traurig, manchmal tut mir etwas weh,
manchmal sind andere gemein zu mir.

Gott, du bist unser Freund.
Durch dich gehören wir alle zusammen.

Es gibt Tage, da freue ich mich.
Ich habe mit anderen toll gespielt,
jemand hat mir etwas geschenkt,
die Sonne lacht und es geht mir einfach gut.

Gott, du bist unser Freund.
Durch dich gehören wir alle zusammen.

Lied: »Schau ich übern Gartenzaun« (siehe nächse Seite oben)

Schau ich übern Gartenzaun

Text und Melodie: Charlotte Altenmüller
Rechte bei der Autorin

2. Wenn die Katja traurig ist
oder ganz allein,
ruf ich einfach bei ihr an,
lad' sie zu mir ein.
Du und ich, wir beiden …

3. Benni war heut' ziemlich blöd,
und wir stritten sehr.
Aber morgen ganz gewiss
spiel'n wir umso mehr.
Du und ich, wir beiden …

4. Ist Frau Müller einmal krank,
unsre Nachbarin,
pflück' ich einen kleinen Strauß
und geh zu ihr hin.
Du und ich, wir beiden …

5. Ali hat Geburtstag heut,
feiert riesengroß,
lädt zu sich die Nachbarsleut,
Mensch, da ist was los!
Du und ich, wir beiden …

Gesprächsrunde zum Lied

Wenn ich über den Gartenzaun schaue oder aus dem Haus gehe, sehe und treffe ich Leute, die ich kenne, die mich kennen, mit denen ich lebe. Zum Beispiel den Briefträger, die Nachbarin mit ihrem Hund, die Verkäuferin beim Bäcker, den alten Mann, der in der übernächsten Straße wohnt, und natürlich Kinder aus dem Kindergarten, der Schule, vielleicht die Lehrerin, die Erzieherin.
Die Kinder überlegen und erzählen, wem sie begegnen.

Gestaltung zum Lied: Gartenzaunplakat

Ein DIN-A-3-Plakat mit der Zeichnung eines Gartenzaunes ist vorbereitet (s. Vorlage S. 56). Zunächst nur den Gartenzaun. Vor dem Kopieren muss deshalb der obere Teil abgedeckt werden). Die Kinder malen auf DIN-A-5-Papiere Menschen, die sie in ihrem Alltag außerhalb von zu Hause sehen und treffen. Diese werden ausgeschnitten und über den Gartenzaun geklebt. Wenn alle fertig sind, sehen wir deutlich: Wir leben nicht allein. Wir leben mit Menschen zusammen. Diese anderen Menschen sind sehr unterschiedlich. Aber alle gehören zu unserem Leben. Und das ist schön!

Nachträgliche Erweiterung des Plakates

Später (am Ende der dritten Einheit) kann über diesem Bild auch eine Hand (ein Regenbogen, das Bild eines segnenden Christus oder irgendein anderen Zeichen oder Symbol) angebracht werden (s. Vorlage S. 56). Es soll damit zum Ausdruck kommen, dass all diese Menschen, mit denen wir zusammenleben, leiden, wir uns aber auch freuen dürfen, unter Gottes Schutz, bzw. seiner beschützenden Hand zu stehen.

Erzählung: Mein Sohn Jan und seine Mäuse

Die Geschichte

»Die Mäuse im Garten gehören alle mir!«, sagt Jan. Und keiner in unserer Familie hatte etwas dagegen. Jan ist mein Sohn – er ist 5 Jahre alt. Und dann habe ich auch eine Tochter. Marie heißt sie und kommt in diesem Jahr in die Schule.

Es fing damit an, dass Jan und Marie im Winter die Vögel fütterten. Jan streute aber die Körner nicht nur ins Futterhäuschen, sondern auch auf den Boden vor unserem Gartenschuppen. Und eines Tages sah er, wie eine kleine Maus unter der Tür hervorgeschlüpft kam und von den Körnern fraß. Jan war glücklich. »Ich füttere jetzt immer auch die Mäuse. Und alle Mäuse im Garten gehören mir«, verkündete er stolz. »Darf ich, Mama?« Mir war es recht. Ich sagte zu Jan: »Solange deine Mäuse nicht zu uns ins Haus kommen, darfst du ihnen ein bisschen Futter geben.«

Dann war das Frühjahr gekommen. Jan fütterte die Mäuse nur noch selten. Manchmal aber legte er Apfelschalen oder ein Stückchen Brot vor den Schuppen. An einem Nachmittag dann kam auf einmal Marie angerannt. »Mama, komm schnell, da ist was!« Ich ging mit ihr den Gartenweg hinunter. Unten sah ich Jan stehen. Er schaute zum Boden. »Was ist da?«, fragte Marie, als wir bei ihm ankommen waren. »Es ist eine Maus«, sagte ich. Wir schauten schweigend auf das kleine Tier da im Gras. »Sie hat ein ganz strubbeliges Fell«, meinte Jan leise. »Sie hat Blut am Kopf«, ergänzte Marie. »Sie ist tot«, sagte ich. »Vielleicht hat eine Katze sie erwischt.« Jan war ganz still.

»Wir müssen sie beerdigen!«, rief Marie. Wir beide gingen zum Haus und holten eine kleine Schaufel. Als wir zurückkamen sahen wir, dass Jan immer noch bei der Maus stand. Er war ganz blass im Gesicht. Unter dem Quittenbusch grub Marie ein Loch und legte dann die Maus hinein. Wir schütteten ein wenig Erde darüber. Jan war mitgekommen. Er legte Moos darauf und hockte sich dann unter den Baum.

Marie und ich gingen zum Haus zurück. Da merkte ich plötzlich, dass Marie Tränen in den Augen hatte und blieb stehen. »Wegen der Maus brauchst du doch nicht weinen, Marie. Die hat es jetzt weich in der Erde«, sagte ich. »Es ist nicht die Maus, Mama«, sagt sie, »der Jan tut mir so leid. Es sind doch seine Mäuse!« Wir schauten uns beide an und sahen dann zu Jan hin. Er war aufgestanden und trottete hinter uns her. Bei uns angekommen fragte er mich: »Warum jagen Katzen Mäuse?« Ich sagte: »Das ist halt so. Fast alle Tiere jagen andere Tiere.« Aber jetzt tat Jan mir auch leid.

An der Haustür angekommen, setzten die Kinder sich auf die Treppenstufen. Und dann hörten wir plötzlich: »Tock, tock, tock, tock, tock«. »Mama, der

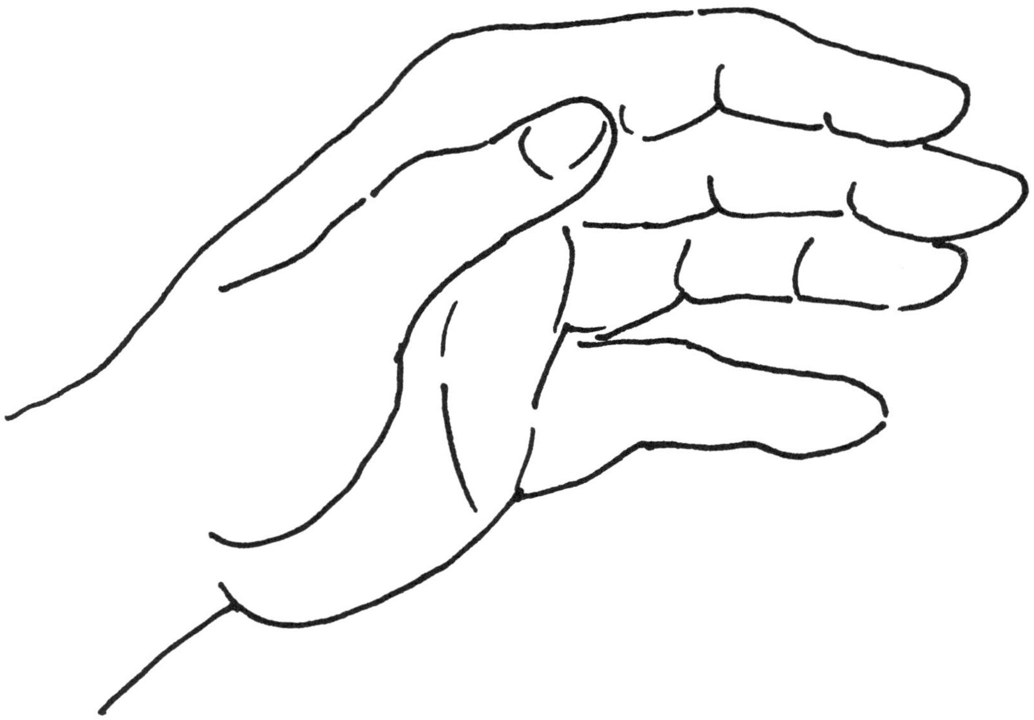

Specht ist wieder da«, rief Marie, »Jan, schnell dein Fernglas!« Jan sprang auf, rannte ins Haus und holte es. Er hatte das Fernglas zu seinem letzten Geburtstag bekommen und war sehr stolz darauf. Nun hielt er es sich vor die Augen, suchte und suchte und fand den Specht schließlich am alten Birnbaum. Ein grüner Specht war es. Marie und ich durften dann auch durchs Fernglas gucken. »Das ist jetzt dein Specht«, sagte Marie zu ihrem Bruder. »Du hast ihn zuerst gesehen.«

Als der Specht weggeflogen war, spielten die beiden im Garten. Sie lärmten, lachten und tobten herum. Und als Jan seinen Vater kommen sah, rief er: »Papa, ich habe jetzt eine Specht! Bei uns im Garten! Ehrlich!«

Die Geschichte

Erzählung: Jesus heilt den Sohn eines königlichen Beamten
(nach Johannes 4,46-56)

Micha ist 8 Jahre alt und lebt in Kapernaum. Das ist eine Stadt am See Genezareth. Er wohnt dort mit seinen Eltern in einem kleinen Haus. Jeden Vormittag muss er seiner Mutter bei der Haus- und Gartenarbeit helfen. Sein Vater ist Fischer. Er fährt mit dem Boot hinaus auf den See und fängt Fische in seinen Netzen.

Micha hat einen Freund. Er heißt Darius und wohnt in einem großen Haus. Sein Vater ist ein Beamter des Königs. Jeden Morgen kommt ein Lehrer zu ihm nach Hause. Deshalb geht er auch immer erst nachmittags an den See. Dann aber spielen Micha und Darius dort bis es dunkel wird. Am liebsten suchen sie Muscheln und Schneckenhäuser.

An einem Nachmittag sind sie wieder dort. Unten im Sand streifen sie ihre Sandalen von den Füßen und klettern die Felsen hinauf, die vom Ufer bis ins Wasser hineinragen. Es dauert heute lange, bis sie etwas finden. Aber dann hält Micha etwas in seiner Hand. Es ist ein großes, fast schwarzes Schneckenhaus, das bläulich schimmert. Das ist etwas ganz Besonderes. »O Mann, hast du ein Glück!«, ruft Darius. »Eine Königsschnecke! So eine hätte ich auch gerne.«

Sie klettern wieder hinunter, um den gefundenen Schatz sicher an den Strand zu legen. Aber da geschieht es. Irgendwie rutscht Darius auf den glitschigen Steinen unten am Wasser aus. »Aua!«, schreit er. Micha blickt erschrocken zu ihm. »Mist! Schau mal, mein Fuß!«, ruft Darius. Er hat sich an der scharfen Kante eines Steines geschnitten und es blutet stark. Micha nimmt den Arm seines Freundes und hilft ihm langsam und vorsichtig an den Strand. Aber jeder Schritt tut Darius weh. Deshalb rennt Micha los und holt Hilfe. Zwei Diener von Darius‘ Vater tragen den Jungen nach Hause. »Morgen ist es bestimmt wieder gut!«, ruft Micha seinem Freund nach.

Aber am nächsten Tag kommt Darius nicht an den Strand. Und am übernächsten Tag auch nicht. Micha trifft die Köchin von Darius Familie auf dem Markt. »Nein, es geht ihm nicht gut«, sagt sie. »Er hat starke Schmerzen im ganzen Bein. Der Arzt ist schon dreimal da gewesen. Besuch ihn doch, wenn du willst!« Als Micha am Nachmittag in Darius Zimmer sitzt, merkt er, dass es seinem Freund wirklich schlecht geht. »Es tut so weh!«, sagt Darius. »Es wird immer schlimmer statt besser. Und der Arzt weiß auch nicht, wie er mir helfen kann.«

An diesem Abend liegt Micha noch lange wach und ist sehr traurig. Immer muss er an Darius denken. Da hat Micha eine Idee. Leise steht er noch einmal auf und holt die Schachtel mit seiner Muschelsammlung. Er nimmt das wunderschöne schwarze Schneckenhaus in seine Hand. Das will er Darius mitbringen beim nächsten Besuch.

Aber als Micha, mit dem Königsschneckenhaus in der Jackentasche drei Tage später vor dem Haus steht, heißt es, er könne ihn nicht besuchen. Darius hat hohes Fieber bekommen. Es geht ihm sehr schlecht. Alle Ärzte der Stadt sind schon da gewesen, aber keiner konnte Darius helfen. Seine Eltern sind verzweifelt – was können sie noch tun? Bedrückt geht Micha nach Hause und denkt an seinen Freund.

In der nächsten Nacht sitzt der Vater bei Darius am Bett. Er hat große Angst. »Wenn nichts geschieht, muss mein Sohn sterben«, denkt er. Da fällt ihm Jesus ein. Er hat doch auch schon Kranke geheilt. Zurzeit ist er gerade in der Stadt Kana. Da beschließt der Vater: »Ich gehe zu diesem Mann Jesus. Vielleicht kommt er mit mir und macht meinen Sohn gesund.«

Früh am Morgen geht der Vater los. Es dauert einige Stunden bis er Kana erreicht hat. Dort sucht er Jesus und als er ihn findet, sagt er: »Herr, komm mit mir nach Kapernaum. Mein Sohn ist so krank, dass er wahrscheinlich sterben muss!« Jesus sieht, wie verzweifelt der Vater ist. Er sagt zu ihm: »Geh ruhig heim, dein Sohn lebt!« Im ersten Moment denkt der Vater: »Warum kommt er nicht mit, warum hilft er mir nicht?« Aber dann vertraut er Jesus und geht so schnell er kann nach Hause. Und wirklich! Darius sitzt mit wachen Augen in seinem Bett. Es geht ihm besser. Wie freuen sich da die Eltern!

Micha hört davon noch am selben Abend. Sofort rennt er den ganzen Weg bis zu Darius‘ Haus. Ganz außer Atem steht er im Zimmer seines Freundes. Tatsächlich, da sitzt er auf einem Stuhl und lacht ihn an. »Schau, ich habe dir etwas mitgebracht«, sagt Micha. Auf seiner Hand liegt die Königsschnecke. »Ich freue mich so sehr, dass du wieder gesund bist!«, fügt er leise hinzu.

»Ich singe dir mit Herz und Mund«

Staunen über Gottes Schöpfung mit einem Lied von Paul Gerhardt

UTE BÖGEL

Das Thema und die Kinder

Kinder sollen auch Lieder kennen lernen, die seit Jahrhunderten gesungen werden und so gehaltvoll sind, dass sie nicht veralten. Ein Lied, mit dessen Inhalt Kinder jetzt und in späterem Alter etwas anfangen können, ist der Choral »Ich singe dir mit Herz und Mund« (EG 324; LJ 186; Melodie nach »Nun danket all und bringet Ehr«, EG 322; GL 267) von Paul Gerhardt.

Biblischer Bezug

Paul Gerhardts Loblied erinnert in seiner Bildersprache an die biblischen Psalmen.

Bausteine zur Gestaltung

Der Entwurf führt unter zwei Aspekten in das Lied ein. Er bietet eine Einheit zum Thema »Staunen über Gottes Schöpfung« (Entdeckungsreise anhand einer gestalteten Mitte, Liedstrophen 1 und 3) sowie eine Einheit zum Thema »Ein Lied, das Mut macht« (zur Lebenssituation Paul Gerhardts, Liedstrophen 4 und 7). Darüber hinaus werden ein Psalmgebet und ein Tanz in diesem Beitrag vorgestellt (Materialliste zur gestalteten Mitte siehe unten).

■ Inhaltliche Überlegungen

Kinder – und Erwachsene oft auch – lernen Lieder leichter als gesprochene Texte. Die Kombination von Wörtern und Musik führt zu einer Aneignung, die tiefer ins Bewusstsein dringt, als wenn man sich nur die Verse ohne Melodie einprägen wollte. Die bildhafte Sprache und die einfache, eingängige Melodie von »Ich singe dir mit Herz und Mund« sind für Kindergartenkinder gut geeignet. Im Jahr 1653 (wenige Jahre nach Ende des 30-jährigen Krieges, s. zweiter Gestaltungsvorschlag S. 61) erstmals veröffentlicht wird das Paul-Gerhardt-Lied seit über 350 Jahren im Gottesdienst und zu Hause gesungen. Das Gedicht mit der Melodie von Johann Crüger hat Menschen in vielen Lebenslagen Mut gemacht, es verbindet die Generationen untereinander. Der folgende Entwurf macht die Kinder mit diesem Lied und seinem Liederdichter vertraut – in der Hoffnung, dass das Lied zu ihrem Lied wird.

■ Zur Gestaltung

Materialliste und Bastelanleitung

Gestaltete Mitte zur ersten Einheit (s. Abbildung S. 60)
Farbiges Tuch, Kerze, Blüten, Rosenblüte, Rose von Jericho, Stein, Muschel, Blatt, Feder und andere Gegenstände aus Gottes Schöpfung, Karton mit Deckel und einem innen am Boden befestigten Spiegel und eine Schale mit warmem Wasser.

Umhängespiegel als Geschenk zum Mitgeben
Fester farbiger Karton (160 g/qm), selbstklebende Spiegelfolie (im Baumarkt oder Bastelbedarf erhältlich), eine größere und eine kleinere ovale oder runde Schablone aus fester Pappe, Schere, Wollfaden oder Lederbändel, Nadel.

Bastelanleitung
Mit Hilfe der Schablonen (siehe S. 64) werden ein größeres Oval (oder ein Kreis oder eine andere Form) aus dem Tonkarton sowie ein kleineres Oval aus der Spiegelfolie ausgeschnitten. Die Spiegelfolie wird auf den Tonkarton geklebt.
Mit der Nadel bringt man einen Wollfaden oder Lederbändel zum Umhängen an.

Gestaltete Mitte zur zweiten Einheit
Farbiges Tuch, eine Kerze, einige Gegenstände aus der letzten Einheit, dazu ein Teddybär mit kaputtem Arm, Pflaster, Taschentuch oder andere Gegenstände, die an schlimme Erlebnisse erinnern.

1. Staunen über Gottes Schöpfung – Entdecken und Singen

(Die Kinder sitzen im Stuhlkreis. In der Mitte liegt ein farbiges Tuch. Darauf ausgebreitet finden sich bunte Blüten, eine Rosenknospe, eine Rose von Jericho, ein schöner Stein, ein Schneckenhaus oder eine Muschel usw. Außerdem steht ein schön beklebter Schuhkarton samt Deckel mit Spiegel im Inneren da, ferner eine Schale mit warmem Wasser und eine Kerze.)

Unsere Mitte sieht heute anders aus als sonst. Ich habe ein paar Dinge mitgebracht, die unsere Welt schön und bunt machen:

(Die Gegenstände werden jeweils hochgenommen und gezeigt.)

Ich habe hier eine Blume.

(Gemeinsam mit den Kindern wird eine Blüte betrachtet, ihre leuchtende Farbe, die schöne Knospe, die besonderen Blütenblätter ...)

Und diese Rose, die duftet wunderbar.

(Eine Rosenblüte wird angeschaut, die Kinder dürfen riechen.)

Hier ist noch eine Rose!

(Die Rose von Jericho wird gezeigt. Die Reaktion der Kinder abwarten.)

Nicht wahr, die sieht nicht aus wie die Rosen, die ihr sonst kennt. Sie heißt Rose von Jericho. So richtig schön sieht sie nicht aus, das stimmt, aber zum Staunen ist sie trotzdem. Ich zeige es euch.

(Die Rose von Jericho wird in eine Schale mit warmem Wasser gelegt, darin öffnet sich die Pflanze relativ schnell. Die Kinder beobachten, wie sich die Pflanze allmählich öffnet und »erblüht«. – Sie kann beim Verlag Junge Gemeinde bezogen werden, s. Bezugsadressen S. 112)

Diesen Stein habe ich bei einer Wanderung entdeckt.

(Ein Stein wird gemeinsam betrachtet, weitere Gegenstände folgen, z. B. ein Schneckenhaus, eine Muschel, ein Blatt, eine Vogelfeder usw.)

Wer weiß noch etwas, worüber wir uns freuen können?

(Im Gespräch mit den Kindern werden weitere Dinge zusammengetragen. Zuletzt wird der Schuhkarton zur Hand genommen. Wenn die Kinder schon vorher danach fragen, vertröstet man sie.)

Etwas ganz Schönes, über das wir uns freuen können, habe ich hier drinnen. Es ist vielleicht das Allerschönste überhaupt. Ich gehe jetzt einmal im Kreis herum, und ihr dürft alle der Reihe nach in den Karton schauen. Aber nichts verraten, damit es für alle spannend bleibt.

(Nacheinander schauen alle Kinder in den Karton. Es ist darauf zu achten, dass die Kinder genug Zeit für die Betrachtung ihres Spiegelbildes haben.)

Und, was habt ihr Wunderbares entdeckt? Achim, was hast du gesehen?

(Achim: Mich!).

Tina, hast du auch den Achim gesehen?

(Tina: Nein, mich!)

Jetzt muss ich doch selbst auch noch reinschauen, was ich da drin sehe.

(Die Kinder kommen zu dem Ergebnis, dass jeder sich selbst sieht.)

Ihr habt recht: Alle haben etwas anderes gesehen, nämlich sich selbst. Gott hat uns allen das Leben geschenkt. Wenn das kein Grund zum Freuen ist! Danke, Gott!
Dazu gibt es ein schönes Lied. Das hat auch einer geschrieben, der sich so richtig über Gott und die Welt gefreut hat. Und weil er anderen Menschen erzählen wollte, wie gut Gott es mit uns meint, hat er sich ein Lied ausgedacht. Es ist ein Lied, das schon viele Menschen vor euch gesungen haben. Fragt einmal eure Eltern oder Großeltern, vielleicht kennen sie das Lied auch.

1. Ich singe dir mit Herz und Mund, Herr, meines Herzens Lust;
   ich sing und mach auf Erden kund, was mir von dir bewusst.

3. Was sind wir doch? Was haben wir auf dieser ganzen Erd,
   das uns, o Vater, nicht von dir, allein gegeben werd?

*(Das Lied wird durch Vor- und Nachsprechen bzw. Vor- und Nachsingen spielerisch gelernt. Als Lernhilfe können zu jeder Strophe Symbole auf Plakate gemalt werden, z. B.
Strophe 1: Herz und Mund, Strophe 3: gebende Hand. Man singt auf die Melodie von »Nun danket all und bringet Ehr«, EG 322, GL 267).*

Zur Erinnerung daran, wie Gott jedem von uns sein Leben gegeben hat und uns gibt, was wir zum Leben brauchen, erhaltet ihr einen Spiegel zum Umhängen. *(Bastelanleitung siehe links oben)*

2. Ein Lied, das Mut macht – Erzählung und Tanz

(Die Kinder sitzen im Stuhlkreis. In der Mitte liegen einige der »schönen« Gegenstände aus der ersten Einheit und verschiedene Dinge, die für schlimme Erlebnisse stehen, z. B. ein Teddy ohne Arm, ein Pflaster, ein Taschentuch, kaputtes Spielzeug, ein zerrissenes Foto usw. Außerdem die Kerze.)

Schaut euch mal unsere gestaltete Mitte genau an ... wem fällt etwas auf?

(Gemeinsam mit den Kindern werden die einzelnen an Schlimmes erinnernden Gegenstände betrachtet.)

Heute liegen in unserer Mitte nicht nur schöne Dinge. Manches, was im Leben passiert, ist traurig. Wenn einer krank wird. Wenn zwei sich streiten und sich nicht mehr vertragen. Dann ist es gar nicht so leicht, fröhlich zu singen und sich über das Leben zu freuen. Erinnert ihr euch noch an das Lied vom letzten Sonntag? Wir singen es mal alle miteinander.

(»Ich singe dir mit Herz und Mund«, Strophen 1 und 3)

Ich möchte euch heute von dem Mann erzählen, der sich dieses Lied ausgedacht hat. Der hat nämlich auch ziemlich schlimme Dinge erlebt – und trotzdem so ein fröhliches Lied geschrieben.
Dieses Lied ist über 350 Jahre alt. Wie es genau entstanden ist, wissen wir nicht. Das weiß niemand. Aber so könnte es gewesen sein:

Die Geschichte

»Wenn der nur mal mit seinem Gesinge aufhören könnte!« Magdalene schüttelt den Kopf. Was sie da durchs Fenster hört ... »Den ganzen Tag summt und pfeift unser neuer Pfarrer vor sich hin. So lustig sind die Zeiten nun wahrlich nicht!«, seufzt Magdalene. Ihr ist nicht zum Singen zumute. Seit dem schlimmen Krieg ist nichts mehr so, wie es einmal war. Manchmal sieht sie im Traum die Schreckensbilder von damals: das kleine Städtchen Mittenwalde voll kämpfender Soldaten. Brennende Häuser. Abgebrannte Felder. Menschen, die Hunger und Krankheit nicht überlebten.

Auch Magdalenes Mann ist gestorben. Ihre drei Söhne mussten mit den Soldaten mitgehen. Magdalene hat nie wieder etwas von ihnen gehört. Zehn Jahre ist das jetzt her. Magdalene muss sehen, wie sie alleine zurechtkommt. Von irgendetwas muss sie ja leben. Sie ist froh, dass sie im Pfarrhaus stundenweise Arbeit gefunden hat. Noch sieht man überall die Spuren des Krieges: halb verfallene Häuser, ausgestorbene Dörfer. Nein, das Leben ist nicht schön!

Drinnen im Arbeitszimmer legt Paul Gerhardt die Feder aus der Hand. Vor ihm auf dem Pergamentblatt steht der Anfang eines neuen Liedes: »Ich singe dir mit Herz und Mund, Herr, meines Herzens Lust; ich sing und mach auf Erden kund, was mir von dir bewusst.«
»Ja«, denkt er, »so ist es gut. Das gibt ein fröhliches Loblied, in dem ich den Leuten erzähle, wie gut wir es bei Gott haben.« Wie das Lied weitergeht, weiß Paul Gerhardt noch nicht so genau. Das wird ihm dann schon noch einfallen. Die meisten Lieder kommen Paul Gerhardt einfach so in den Sinn. Zufrieden steht er auf. Er will ein wenig in den Garten gehen.

Es ist ein schöner Tag. Die Sonne strahlt, und der Himmel ist tiefblau. Magdalene zupft Unkraut. Paul Gerhardt summt leise vor sich hin. Da hält es Magdalene nicht mehr aus: »Herr Pfarrer! Wie können Sie nur immer so vergnügt sein bei all dem vielen Elend in der Welt? Ich kann Gott nicht loben ...« Paul Gerhardt nickt. Er kennt Magdalenes Geschichte. Und er hat selbst schon Schlimmes erlebt. Seine Eltern sind gestorben, als er noch ein Kind war. »Ja, Magdalene, du hast Recht: Es gibt viel Schlimmes in der Welt. Und Menschen tun einander viel Böses an. Aber gerade darum muss ich mich doch an dem freuen, was Gott mir Gutes tut ... Dass ich leben darf und zu essen habe ... Schau den Himmel an! Ist er nicht wunderschön? Und siehst du die Blumen, wie bunt die sind? Hat Gott das nicht großartig gemacht? Das Leben ist schön, Magdalene – trotz allem ...«

»Trotz allem?!« Magdalene schaut ihn nachdenklich an. »Vielleicht ist es so, Herr Pfarrer ..., aber ob ich das glauben kann?« – »Du kannst, Magdalene! Du wirst schon sehen ... Hab Vertrauen! Gott meint es gut mit uns. Und jetzt schreibe ich das Lied weiter, du hast mich nämlich auf eine Idee gebracht ...« Paul Gerhardt geht zurück an seinen Schreibtisch. Magdalene hört ihn singen: »Wer hat das schöne Himmelszelt hoch über uns gesetzt ...?« Magdalene schüttelt den Kopf. Und lächelt.

4. Wer hat das schöne Himmelszelt hoch über uns gesetzt?
Wer ist es, der uns unser Feld mit Tau und Regen netzt?

7. Ach, Herr, mein Gott, das kommt von dir, du, du musst alles tun,
du hältst die Wach an unsrer Tür und lässt uns sicher ruhn.

(Das Lied wird durch Vor- und Nachsprechen bzw. Vor- und Nachsingen spielerisch gelernt. Als Lernhilfe können zu jeder Strophe Symbole auf Plakate gemalt werden, z. B. Strophe 4: ein über den Erdboden gewölbter Himmel mit Sternen, Strophe 7: eine Zimmertüre und ein Bett.)

Einfacher Bewegungstanz zum Lied

(Im Tanz erleben die Kinder das Lied mit allen Sinnen. Die Melodie ist im Drei-Halbe-Takt geschrieben, der wegen des Auftaktes und der üblicherweise gesungenen Fermaten am Phrasenende nicht leicht herauszuhören ist. Wenn man das Lied exakt durchsingt, verleiht ihm der Dreiertakt einen schwebenden, »tänzerischen« Charakter. Beim Lernen werden die Kinder am besten gleich zum Mitmachen eingeladen. Zu Beginn stehen die Tänzerinnen und Tänzer eng nebeneinander im Kreis, Blick zur Kreismitte.)

Ich singe dir mit Herz und Mund,	*erste Note (»Ich«) abwarten, dann auf der Kreislinie sechs kleine Seitschritte gegen den Uhrzeigersinn gehen (mit dem rechten Fuß losgehen, den linken Fuß ranziehen usw.)*
Herr, meines Herzens Lust;	*auf »meines« beginnend sechs Schritte nach hinten (mit dem rechten Fuß zurück, den linken Fuß ranziehen usw.)*
ich sing und mach auf Erden kund,	*auf »sing und« beginnend eine Drehung auf der Stelle (mit dem rechten Fuß einen Schritt schräg nach hinten, dann fünf weitere kleine drehende Schritte)*
was mir von dir bewusst.	*auf »mir von« beginnend sechs Schritte nach innen gehen (den rechten Fuß nach vorne, den linken Fuß ranziehen usw.)*

(Wenn man mehrere Strophen hintereinander tanzt, ist zu beachten, dass man automatisch zwischen den Strophen eine zusätzliche Pause setzt. Der Auftakt bleibt dann wieder schrittfrei.)

Gebet

Beginn für einen Kindergottesdienst

Gott lädt uns ein. Wir feiern diesen Gottesdienst in seinem Namen.
Gott macht unser Leben hell. Darum zünden wir diese Kerze an.

(Kerze anzünden)

Psalmgebet für beide Einheiten

(Der kursiv gedruckte Kehrvers wird mit den Kindern geübt, so dass ihn alle gemeinsam sprechen können.)

Gott, wie gut, dass du da bist.
Du sorgst für uns.

Du hast die Welt gemacht.
Die Berge und Meere,
die Wiesen und Wälder,
Sonne, Mond und Sterne.
Wir freuen uns und staunen:

Gott, wie gut, dass du da bist.
Du sorgst für uns.

Unser Leben kommt von dir.
Alle Menschen sind deine Kinder.
Du kennst uns mit unserem Namen,
die Tina, den Achim ... *(Namen der Kinder einsetzen)*
Du hast uns lieb.
Wir freuen uns und staunen:

Gott, wie gut, dass du da bist.
Du sorgst für uns.
Amen.

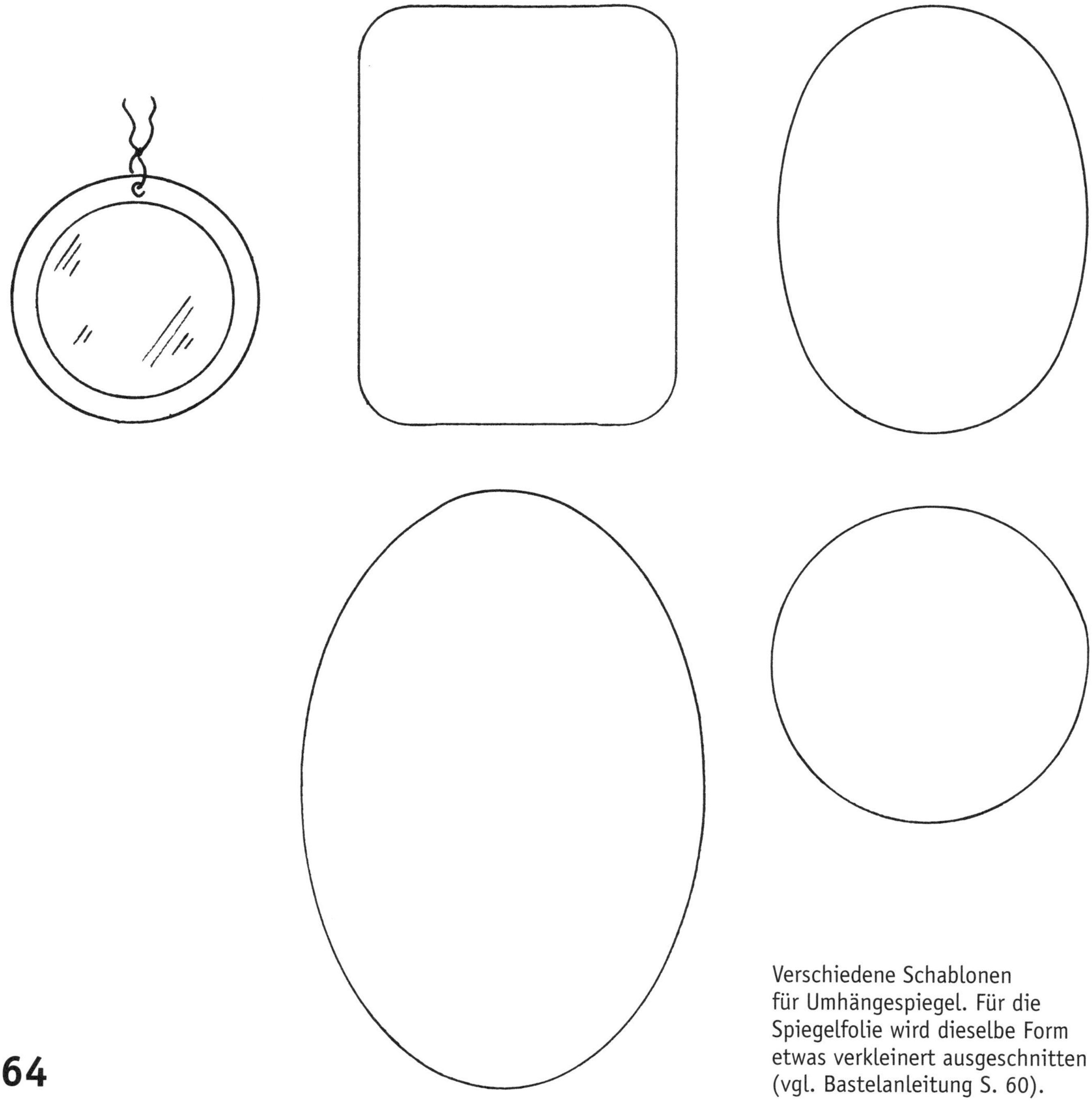

Verschiedene Schablonen für Umhängespiegel. Für die Spiegelfolie wird dieselbe Form etwas verkleinert ausgeschnitten (vgl. Bastelanleitung S. 60).

Jesus heilt einen Gelähmten

Eine Mitmachgeschichte

Charlotte Altenmüller und Hans Villinger

Eine Geschichte zum Mitspielen ...

Manche biblischen Geschichten können so erzählt bzw. gestaltet werden, dass Kinder ohne vorheriges Einüben mitmachen bzw. mitspielen können. Die Geschichte wird dabei nicht nur gehört, sondern hautnah erlebt und verinnerlicht. Das Erleben kann so weit gehen, dass die Kinder dann im Anschluss sagen: »Ja, jetzt weiß ich, wie es damals bei Jesus war, schließlich war ich ja dabei!« Dieser Beitrag stellt eine solche Geschichte vor.

... auch mit selbst gemachten Stabpuppen

Am Beispiel der Heilung des Gelähmten werden im Folgenden zwei Möglichkeiten des Mitmachens dargeboten:

— Die Kinder sind bei der Geschichte aktiv dabei, indem sie spontan pantomimisch mitspielen.

— Die Kinder spielen mit selbst gebastelten Bäckertütenpuppen mit. Allerdings braucht man in diesem Fall eine längere Vorbereitungsphase, in der die Kinder ihre Puppen herstellen, und verschiedene Materialien (siehe S. 68).

■ Inhaltliche Überlegungen

Die folgende Mitmachgeschichte erzählt von der Heilung des Gelähmten. Zu finden ist sie im Markusevangelium (2,1–12), bei Matthäus (9,1–8) und bei Lukas (5,17–26). Diese Geschichte ist vor allem dadurch bekannt, dass der Gelähmte von seinen Freunden durch ein Dach zu Jesus heruntergelassen wird. Es waren so viele Menschen um Jesus im Haus, dass sie nicht durch die Türe kommen konnten.

In einer Mitmachgeschichte ist es jedoch nicht möglich, jemanden durch ein Dach herab zu lassen. So kommen der Gelähmte und seine Freunde durch die Menschenmenge zu Jesus – das erzählt übrigens auch das Matthäusevangelium.

■ Zur Gestaltung

Das Mitspielen

Der Raum

Die Mitmachgeschichte ist so angelegt, dass die Kinder gleich beim ersten Erzählen mitspielen können. Voraussetzung ist ein Raum, in dem die Kinder in einem engen Kreis stehen können und in dem man auch noch um den Kreis herum gehen kann. Bei weniger als zwölf Kindern muss der Mitmachteil etwas verändert werden (dann bilden die Kinder keinen Kreis um Jesus, sondern eine »Mauer« vor ihm – siehe Spielvorschlag S. 66).

Die Rollenverteilung

Am Anfang werden die Rollen verteilt: Der Gelähmte, zwei Freunde, Jesus, die Leute im Haus. Die Personen werden dabei kurz vorgestellt (z. B.: »Der Gelähmte ist ein Mann, der nicht gehen kann. Seine Beine sind lahm. Er muss immer von anderen getragen werden, wenn er in einen anderen Raum oder aus dem Haus will.«).

Wenn mit Puppen gespielt wird, gilt der Grundsatz: Jede Puppe kann jede Rolle darstellen, unabhängig von ihrer Gestaltung! Es gibt *keine* »Jesuspuppe« oder »Gelähmten-Puppe«.

Die Geschichte

Die Mitmachgeschichte

Alle Kinder stehen zu Beginn an einer Seite des Raumes. Die Geschichte wird dann in den einzelnen kurzen Abschnitten erzählt, und die Kinder spielen, was sie gehört haben.
Am Anfang kann es eventuell notwendig sein, Vorschläge zu machen, wie sie gehen, stehen, spielen können (siehe Spielvorschlag). Das ist aber erfahrungsgemäß sehr schnell nicht mehr nötig. Es ist sinnvoll und macht den Kindern großen Spaß, wenn man die Geschichte mehrmals hintereinander erzählt und spielt – immer mit neuer Rollenverteilung.

❍ Jesus
• Volk
● Freunde
▷ Gelähmter

Erzählung	**Spielvorschlag**
Jesus kommt in die Stadt Kapernaum. Schon oft ist er dort gewesen. Man kennt ihn.	*Jesus tritt auf.* 
Viele Menschen eilen herbei. Sie drängen sich um Jesus. Alle wollen ganz nah bei ihm sein. Sie wollen ihn sehen. Sie wollen Jesus hören.	*Viele Leute kommen zu Jesus.* 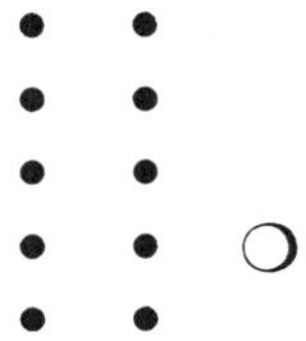
Die Menschen umringen Jesus. Dann werden sie ganz still. Alle wollen verstehen, was Jesus sagt.	*Die Leute bilden einen geschlossenen Kreis um Jesus.* 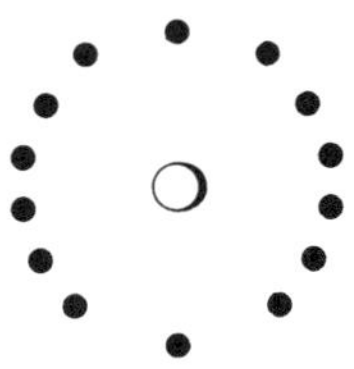
Jesus erzählt ihnen von Gott. Er sagt: »Freut euch! Gott ist euch nah. Er ist für euch da. Ihr seid seine Kinder. Er sorgt sich um euch. Vertraut ihm wie einem guten Vater.«	*Jesus steigt auf einen erhobenen Platz (stellt sich auf einen Stuhl).*
Da kommen zwei Männer. Sie haben ihren Freund bei sich. Er kann nicht gehen – er ist gelähmt. Sie müssen ihn auf einem Tuch tragen.	*Zwei Leute kommen von der Seite – einen dritten zwischen sich. Die Puppe des Gelähmten liegt auf einem Tuch, der Spieler geht direkt dahinter, hält seine Puppe fest – wenn ohne Puppen gespielt wird, geht der Gelähmte zwischen den Freunden, die ihn stützen.* 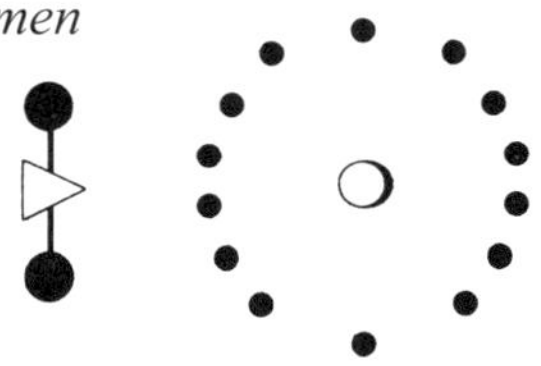
Die Männer wollen den Gelähmten zu Jesus bringen. Sie trauen Jesus zu, dass er ihrem Freund helfen kann. Aber sie können nicht zu Jesus hinkommen. Zu viele Menschen stehen um Jesus herum. Wie eine Mauer ist das. Da ist kein Durchkommen.	*Sie bleiben außen am Kreis stehen. Die Leute drehen ihnen den Rücken zu.* 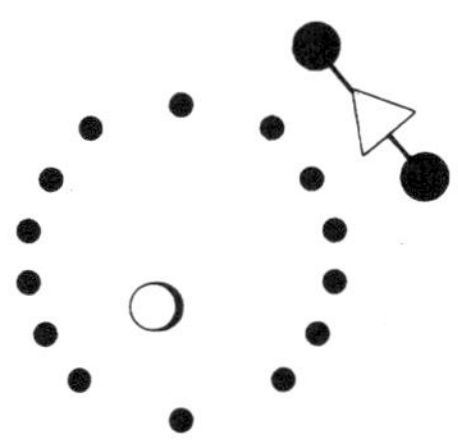

Doch die Männer geben nicht auf.
Sie suchen und suchen nach einem Weg.

Sie laufen außen am Kreis entlang.

Endlich finden sie eine Lücke.
Die Menschen rücken ein wenig zur Seite.
Sie machen Platz für den Gelähmten.

Durch eine Lücke kommen sie schließlich in den Kreis zu Jesus.

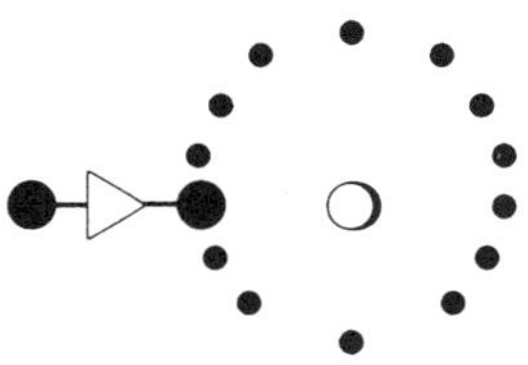

Jetzt kann der Gelähmte zu Jesus kommen.
Jesus schaut diesen an.
Dann blickt er auf die Männer, die ihn gebracht haben.
Er sieht, dass sie ihm viel zutrauen. Das freut ihn.

Jesus und die drei Männer stehen sich gegenüber.

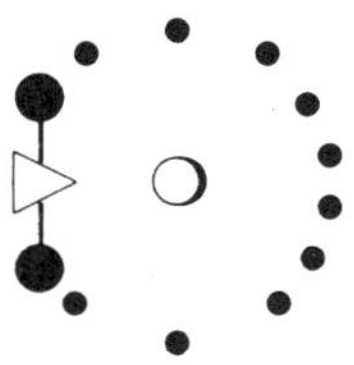

Dann sagt Jesus zu dem Gelähmten:
»Mein Sohn, Gott meint es gut mit dir.
Du brauchst keine Angst vor ihm zu haben.
Er ist immer für dich da. Gott ist mit dir.«

Jesus kommt näher zu dem Gelähmten.

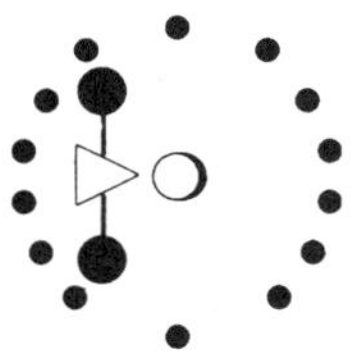

Die Menschen hören, was Jesus zu dem Gelähmten sagt.
Sie wundern sich. Manche schütteln den Kopf.
Sie fragen sich: Wie kann Jesus sagen »Gott ist mit dir«?

Die Leute im Kreis schütteln die Köpfe und tuscheln miteinander.

Jesus schaut sich um.
Er weiß, was manche denken.
Er will, dass alle ihm vertrauen.

Jesus sieht die Leute im Kreis herum an.

Und dann sagt Jesus zu dem Gelähmten:
»Steh auf! Tritt auf deine Füße!
Geh heim zu deiner Familie!«

Jesus wendet sich wieder dem Gelähmten zu.

Da steht der kranke Mann auf.
Er nimmt das Tuch, auf dem ihn die Freunde hergetragen haben. Er legt es sich über die Schultern und geht weg durch die Menge.

Der Gelähmte nimmt sein Tuch und geht aus dem Kreis.
Die Leute bilden eine Gasse für ihn.

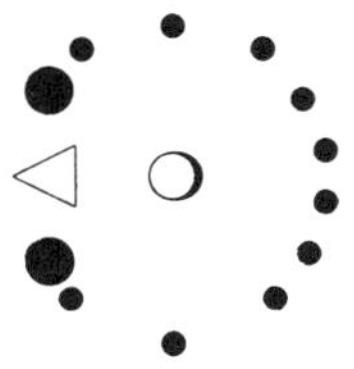

Alle schauen ihm nach. Sie staunen.Sie sind ganz aufgeregt und reden durcheinander.
Sie loben Gott und sagen: »So etwas haben wir noch nie gesehen.
Gott sei Lob und Dank.«

Die Leute schauen ihm nach, dann reden sie aufgeregt miteinander.

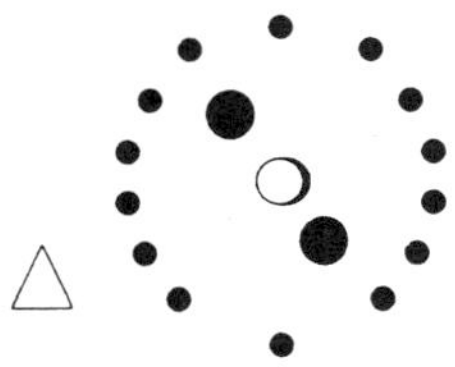

Die Bäckertütenpuppen

Wer Zeit und die Möglichkeit hat, kann mit den Kindern Bäckertütenpuppen basteln. Das macht viel Spaß! Diese großen Stabpuppen können übrigens immer wieder verwendet werden. Sie werden nicht als Abbild einer bestimmte Person in einer Geschichte hergestellt, sondern sind einfach ein Mensch – wie das Kind selbst – der immer wieder etwas mit Jesus, mit Gott erlebt. Obwohl das Herstellen der Puppen nicht allzu schwer ist, sollte man es auf jeden Fall vorher (ohne Kinder) ausprobieren!

Materialliste

— Äste/Zweige oder Stöcke, ca. 60 cm lang (Durchmesser ca. 1,5 cm)
— braune oder helle Bäcker- oder Obsttüten (ca. 25cm breit, 40 cm lang), wenn möglich ohne Aufdruck auf einer Seite
— Zeitungspapier
— Scheren und Kleber
— starkes Klebeband (Krepp- oder Packband)
— Krepppapier oder Wollreste für die Haare
— Tonpapierreste für die Gesichter
— Krepppapier oder Stoffreste für die »Kleider«
— Bindfaden

Und so geht's

1. Einzelne Zeitungsblätter zusammenknüllen und die Hälfte der Tüte damit ausstopfen.
2. Den Stock vorsichtig in die Tüte schieben und rundherum mit Zeitungspapier ausstopfen, bis er möglichst fest sitzt.
3. Die Öffnung der Tüte um den Stock zusammenraffen und fest mit Klebeband umwickeln.
4. Mit Tonpapierresten Augen, Mund und Nase aufkleben. Das Krepppapierstück für die Haare oben, hinten und seitlich am Kopf festkleben und dann mit der Schere Fransen schneiden (oder Wollfäden als Haare aufkleben – ist aber mühsamer).
5. Das Stoff- bzw. Krepppapierstück für das Gewand oben raffen und mit Bindfaden fest unterhalb des Kopfes am Stock anbinden.

Das Ganze wird einfacher (und die Bastelzeit kürzer), wenn die Kinder fertige »Rohlinge« bekommen, die Schritte 1. bis 3. also schon für sie gemacht wurden.

»Du bist mein Schirm«

Ein Bild von Gott aus Psalm 32

Charlotte Altenmüller

Das Thema und die Kinder
In Psalm 32,7 spricht der Beter von Gott als einem Schirm, der ihn behütet. Kindern kommt solch ein Reden von Gott in Bildern sehr nahe. Gott ist wie eine Schirm – darunter können Kinder (und Erwachsene) sich gut etwas vorstellen: Wie ein Schirm ist er schützend über mir, er behütet mich, er geht mit mir.

Bausteine zur Gestaltung
Es werden Bausteine für zwei Einheiten zu diesem Thema angeboten, die unterschiedlich kombiniert werden können:
— zwei Schirmgeschichten,
— ein Bewegungslied (»Ich fürcht mich nicht«, s. S. 71),
— ein Schirmspiel,
— die gemeinsame Gestaltung eines Bildes zum Thema.

Als Lied bietet sich außerdem an: »Halte zu mir, guter Gott« (LJ 549; MKL 1, 52; SL 249).

Inhaltliche Überlegungen

Gott ist ein Fels und eine Burg, er ist Hirte und ein Licht auf dem Weg. In vielen Psalmworten wird in bildreicher Sprache von Gott geredet. In diesen Formulierungen spiegeln sich Erfahrungen von Menschen mit Gott wieder. Psalm 32,7 beschreibt ein Bild vom schützenden, behütenden Gott: »Du (Gott) bist mein Schirm, du wirst mich vor Angst behüten, dass ich errettet gar fröhlich rühmen kann.« In manchen Bibelübersetzungen (z.B. Einheitsübersetzung, Gute-Nachricht-Bibel) taucht der Begriff »Schirm« nicht auf. Meistens ist dafür das Wort »Schutz« gewählt. Im Originaltext des Alten Testaments bedeutet das hebräische Wort »beschirmt, behütet, geschützt sein«. Martin Luther hat mit dem Ausdruck »Schirm« eine sehr treffende und bildhafte Übersetzung gewählt, die der Vorstellungswelt der Kinder sehr nahe kommt.

Zur Gestaltung

Schön ist es, wenn die Kinder bei den Erzählungen unter einem Schirm (Sonnenschirm) oder in einer Hütte (Stühle mit Decke darüber) zusammen sitzen können.

1. Erzählung: Eine Regenschirmgeschichte

Die Geschichte

Franziska und Conni sind draußen im Park. Ganz hinten an dem kleinen Bach lassen sie Papierschiffchen um die Wette schwimmen. Plötzlich bläst ein Windstoß die kleinen Schiffe ins Gestrüpp. Die beiden Mädchen legen sich auf den Bauch. Mit einem langen Zweig versuchen sie, diese wieder zu holen. Da kommen noch einmal ein paar kräftige Windböen. Franziska steht auf und schaut nach oben. »Schau mal, Conni, da ist es ganz schwarz am Himmel!«, ruft sie. Als Conni hinaufschaut, spürt sie schon die ersten Regentropfen im Gesicht. »Oh Mist, wir müssen nach Hause. Es regnet.« Sie wirft den Zweig weg. Die Schiffchen lassen sie hinten am Ufer im Wasser liegen.

Franziska und Conni laufen los. Immer stärker windet es und immer mehr regnet es. Die beiden fangen an zu rennen. Aber der Park ist groß. Es ist weit nach Hause. Jetzt gießt es. »Schnell dorthin!«, ruft Conni und zeigt auf eine Hütte, die am Grillplatz steht. Unter dem Vordach finden die Mädchen Schutz vor dem Regen. Sie sind ganz außer Atem. »Iiih, ich habe schon ganz nasse Haare!«, sagt Franziska. Eine Weile stehen sie da und schauen dem Regen zu. Ihre Kleider fühlen sich ganz klamm an. Ihnen wird kalt. »Das hört überhaupt nicht mehr auf«, seufzt Conni. Es ist dämmrig geworden. Kein Mensch ist im Park zu sehen. Nur das Prasseln des Regens hören sie.

Die Mädchen bekommen Angst. »Warum haben wir bloß keinen Schirm! Wir können doch nicht ewig hier in der Hütte stehen!«, jammert Conni. Da hat Franziska eine Idee. »Mensch, wir basteln uns einfach einen«, sagt sie. »Du hast doch eine Jacke an. Da machen wir Stöcke dran und schon haben wir einen Schirm!« In der Hütte finden sie Stöcke, die wahrscheinlich zum Würstchenbraten gebraucht wurden. Zwei davon stecken sie mit den Spitzen in die Taschen der Jacke und zwei binden sie mit den Ärmeln fest. »So geht's!«, ruft Franziska. »Los, jetzt probieren wir unseren Schirm aus!«

Einen Stock in jeder Hand und die Jacke hoch über den Köpfen gehen die beiden nach draußen. Der Schirm funktioniert ganz gut. Nur noch an den Füßen werden sie nass. So gehen sie im Regen durch den Park nach Hause. Die Mutter ist froh, als die beiden wieder da sind. »Ihr Armen«, sagt sie, »wie seid ihr bloß bei dem Regen heimgekommen?« Franziska und Conni erzählen von ihrem Schirm und zeigen ihn der Mutter. »Das war ja eine tolle Idee«, sagt sie. »So ein Schirm ist wie ein schützendes Dach, das immer da ist – wohin man auch geht!«

Die Geschichte

2. Erzählung: Christian und sein Schirm

Christian ist auf dem Weg vom Kindergarten nach Hause. Er zieht seinen Schirm auf dem Gehweg hinter sich her. Klack, klack macht es auf den Steinplatten. Es ist warm geworden. Christian ist müde. Heute Morgen hatte es geregnet. Unter einem Schirm laufen, wenn der Regen darauf prasselt – das macht Spaß. Jetzt aber am Mittag hätte er ihn gern im Kindergarten gelassen. Aber Frau Lang hat gesagt: »Nimm ihn wieder mit nach Hause.«

Da sieht Christian die beiden großen Mädchen an der Bushaltestelle. Er kennt sie. Sie sind in der 3. Klasse, Pauls Schwester Laura und ihre Freundin. Die beiden ärgern ihn immer, rufen ihm blöde Sachen nach.

Christian geht langsamer. Er hat keine Lust die Mädchen zu treffen. Aber was soll er tun? Es gibt keinen anderen Weg. Er muss an der Haltestelle vorbei, sonst kommt er nicht nach Hause. Die beiden Mädchen haben Christian noch nicht entdeckt. Sie hocken auf der Lehne der Sitzbank und reden miteinander. »Gleich sehen sie mich«, denkt Christian. Er bleibt bei den Kaugummiautomaten stehen und spielt mit den Drehknöpfen herum.

»Ei, guck mal, wer da kommt!«, ruft plötzlich Lauras Freundin. Die Mädchen kichern laut. Christian starrt auf die Hauswand. Fieberhaft denkt er nach: »Wie komme ich da bloß vorbei?« Da hat er eine Idee. Christian nimmt seinen Schirm und spannt ihn auf. Mit erhobenem Kopf, den Schirm über sich, geht er los. Und mit mutigen Schritten geht er an der Bushaltestelle vorbei. Die Mädchen sind verblüfft. Als der Junge schon fast vorbei ist, sagt Ina: »Schau mal, dort regnet es.« Aber mehr fällt den beiden nicht ein.

Christian geht weiter mit seinem Schirm, bis er um die Ecke ist. Jetzt hält er an und sagt laut zu seinem Schirm: »Die haben wir ganz schön überrascht!« Und als er den Schirm wieder zusammenklappt, denkt er: »So ein Schirm ist einfach klasse. Er schützt eben nicht nur vor Regen!« Und dann rennt er lachend nach Hause.

Bewegungslied: »Ich fürcht' mich nicht«

(Dieses Lied kann beispielsweise jeweils nach beiden Erzählungen gesungen werden. Da das Psalmwort die Grundlage für den Liedtext ist, kann man ihn auch als Gebet verstehen und einsetzen.)

Text und Melodie: Charlotte Altenmüller
Rechte bei der Autorin

Liedtext	**Bewegungen**	
Ich fürcht' mich nicht,	*Im Kreis stehend fassen wir uns an den Händen.*	
Gott hält seine Hand über mir,	*Wir halten beide Hände über unseren Kopf.*	
wie ein großer Schirm begleitet er mich.	*Die Arme gehen im weiten Bogen seitlich nach unten.*	
Danke, Gott!	*Mit nach oben geöffneten Händen stehen wir ruhig da (Gebetshaltung).*	

Schirmspiel

Nach dem Singen kann – wenn es Spaß macht – das Schirmspiel gespielt werden. Für je drei bis vier Kinder benötigt man dazu einen Regenschirm. Die Schirme werden aufgespannt und gleichmäßig im Raum auf dem Boden verteilt (geht auch gut im Freien).

Die Kinder gehen durch den Raum. Sobald es »regnet« (Regengeräusch mit Klappern, Rasseln, mit etwas Reis gefüllten Plastikschüsselchen o.ä.), müssen sich die Kinder so schnell wie möglich zu dritt oder viert unter einen Schirm stellen. Ziel ist, dass alle Platz unter einem Schirm finden. Es geht also nicht darum, wer zuerst am Schirm ist. Es gibt keine Gewinner oder Verlierer bei diesem Spiel.

Ein Schirmbild

Als Gestaltungsidee schlagen wir vor, ein Plakat zu dem Psalmwort mit den Kindern zu entwerfen (für die Kirche, das Gemeindehaus, den Kindergartenraum). Auf ein Bild wird ein großer, aufgespannter Schirm gemalt oder mit Buntpapier geklebt. Die Kinder malen nun ein Bild von sich, oder auch von Menschen, die ihnen wichtig sind. Die Figuren werden ausgeschnitten und mit Namen versehen unter den Schirm geklebt. Noch einfacher ist es, wenn schon Figuren (Umrisse) vorgemalt sind, die dann von den Kindern ausgestaltet werden.

Figuren für das Schirmbild zum Ausschneiden und Ausmalen.

»Ich freu mich über die Sonne«

Mit Kindern Stille erfahren

GABRIELE TRAUB

Das Thema und die Kinder

Das Thema »Sonne« ist eine typische Einheit für das Frühjahr und den Frühsommer – eine Zeit, in der wir in der Natur miterleben können, was unter den Sonnenstrahlen alles wächst und gedeiht. Die Kinder nehmen so Vorgänge in der Schöpfung bewusster wahr, können staunen über das Wunder des Wachstums, Gott dafür danken und sich freuen über die Sonne.

Bausteine zur Gestaltung

Es werden Bausteine für drei Einheiten/Kindergottesdienste zum Thema »Ich freu mich über die Sonne« angeboten. Dabei ist jeweils ein Stille-Element enthalten und verschiedene Gestaltungs- und Vertiefungsvorschläge. Ein Lied (mit Bewegungen) und ein Schlussgebet begleiten übergreifend alle Einheiten.
Die Themen sind:
1. Die Sonne macht unser Leben hell und warm.
2. Die Sonne gibt den Blumen Kraft zum Wachsen.
3. Die Sonne gibt den Früchten Kraft zum Reifen.

■ Inhaltliche Überlegungen

Kleine Kinder und Stille – das scheint zunächst ein Widerspruch zu sein. Kinder lieben es, ihre Fröhlichkeit laut zu leben. Auch haben viele Kinder einen enormen Bewegungsdrang und ein ausgeprägtes Mitteilungsbedürfnis. Still sein zu müssen, erleben Kinder häufig als Disziplinierung. Die Faszination von Stille, das bewusste Erleben von Stille, Stille genießen – das kennen sie kaum. Stilleübungen können Kindern (wie auch Erwachsenen) aber helfen, in sich hineinzuhören, in sich ruhender zu werden, und sie wirken sich positiv auf das Selbstwertgefühl der Kinder aus. So ist es auch schon bei jüngeren Kindern sinnvoll, immer wieder Stille-Elemente einzubauen – im Kindergarten, im Kindergottesdienst und in der Schule.

■ Zur Gestaltung

1. Einheit: Die Sonne macht unser Leben hell und warm

Materialliste

Ein leeres Plakat, ein kräftiger gelber Stift (z. B. Wachsmalkreide), ggf. Sitzkissen für die Fantasiereise

Einstieg

(Die Kinder sitzen im Kreis – am besten auf Kindergartenstühlen oder auf Sitzkissen. Auf ein großes Plakat wird eine kräftige gelbe Sonne gemalt mit Strahlen, die bis an den Bildrand gehen. Das Plakat liegt in der Mitte.)

Es soll zunächst der Begriff »Sonne« erraten werden. Wer von den Kindern meint, den Begriff erraten zu haben, legt den Zeigefinger auf die Nasenspitze. Damit ist zugleich der Mund verschlossen, und es wird verhindert, dass die Kinder den Begriff einfach herausrufen.

Den Kindern werden nun verschiedene Hinweise gegeben:
— Ich bin rund.
— Ich bin sehr hell.
— In der Nacht bin ich nicht da.
— Am Tag merkst du, dass ich da bin, aber du kannst mich nicht genau anschauen.
— Ich mache, dass es warm ist.
— Ich helfe den Blumen, dass sie wachsen können.
— Wenn ich scheine, freuen sich die Menschen immer.

Dann wird ein »Gesprächsstein« (normaler, schöner Stein) im Kreis herumgegeben. Jeweils das Kind, das den Stein in der Hand hält, hat die Möglichkeit, sich zu äußern – den zu erratenden Begriff zu nennen oder noch etwas anderes dazu zu sagen. Will ein Kind nichts sagen, gibt es den Stein gleich weiter.

Fantasiereise (Stilleelement)

(Für die Fantasiereise sollten Kinder entspannt sitzen können, z. B. auf Sitzkissen in einem Kreis auf dem Fußboden, und die Augen schließen. Es könnte sein, dass ein Kind Schwierigkeiten hat, das zu tun. Vielleicht kann es die Augen mit den Händen abdecken; es sollte sie aber auch einfach offen lassen können.)

Heute gehen wir auf eine Wiese.
Wir gehen aber nicht mit unseren Füßen, sondern in Gedanken.
Macht einmal die Augen zu und seht nach innen. –
Nun sind wir schon da.
Wir legen uns ins Gras und schauen in den Himmel. –
Die Sonne scheint. –
Alles ist ganz hell, und keine Wolke ist zu sehen. –
Wir liegen nur da und spüren die Sonnenstrahlen auf unserer Haut. –
Wir fühlen uns so richtig wohl, freuen uns und haben gute Laune. –
Wir riechen die Wärme auch. –
Die Blumen um uns her haben ihre Blüten ganz aufgemacht und duften. –
Und wir hören die Bienen und die Mücken, wie sie in den Sonnenstrahlen herumfliegen. –
Jetzt müssen wir aber auch wieder aufstehen.
Wir wollen ja keinen Sonnenbrand bekommen. –
Wir verabschieden uns von der Wiese,
kehren wieder hierher zurück in den Kreis –
und machen die Augen langsam wieder auf.

(Die Kinder stehen auf, recken und strecken sich und stellen sich in einen Kreis, in dem als Mitte das Plakat mit der gemalten Sonne liegt.)

Singen und Beten

Nun wird die 1. und 2. Strophe des Liedes »Wir tanzen heut den Sonnentanz« (s. S. 79) gelernt und mit Bewegungen gesungen. Anschließend – noch im Kreis stehend – sprechen wir das Gebet (s. S. 80).

2. Einheit: Die Sonne gibt den Blumen Kraft zum Wachsen

Materialliste

Chiffontücher (s. Bezugsadressen S. 112), Kopien des Sonnenblumen-Mandalas (s. rechte Seite), Ausmalstifte (Buntstifte: gelb, orange, braun)

Einstieg

(Die Kinder setzen sich im Kreis – am besten auf Kindergartenstühle oder auf Sitzkissen. Das Plakat mit der Sonne liegt in der Mitte. Für die Vertiefung der Geschichte als kleine Stille-Einheit werden bunte Chiffontücher benötigt – für jedes Kind eines, außerdem die Sonnenblumen-Mandalas.)

Zunächst tanzen und singen wir die ersten beiden Strophen des Liedes »Wir tanzen heut den Sonnentanz«. Dann wird die Geschichte »Philipps kleine Sonnenblume« erzählt.

Die Geschichte

Erzählung: Philipps kleine Sonnenblume

Es hat eine ganze Woche lang geregnet. Nun ist die Sonne endlich wieder hinter den Wolken hervorgekommen. Philipp freut sich, dass er wieder in den Garten gehen kann. Sofort läuft er zu seinem kleinen Beet, auf dem er neulich Sonnenblumenkerne ausgesät hat. Voller Freude entdeckt er ganz winzig kleine Pflänzchen. Das müssen sie sein, seine Sonnenblumen! Er schaut sie sich noch ganz genau an, dann läuft er ins Haus und sucht seine Schwester Anne, um ihr von seiner Entdeckung zu erzählen. Jeden Tag gehen die Kinder nun hinaus, um zu schauen, wie viel die Sonnenblumen wieder gewachsen sind. »Schau mal, Anne«, sagt Philipp eines Tages zu seiner Schwester, »die eine kleine Sonnenblume dort wächst gar nicht so schnell wie die anderen.«

Die beiden Kinder machen sich Sorgen um das kleine Pflänzchen und zeigen es dem Großvater, der gerade zu Besuch da ist. »Ja«, meint der Großvater, »das wird wohl daran liegen, dass die Pflanze zu wenig Sonne bekommt. Wisst ihr, ohne Sonne kann sie gar nicht wachsen. Seht mal genau hin! Es liegt am Ast vom Kirschbaum, durch ihn kommt die Sonne gar nicht an die Sonnenblume heran.«

Nun sind Philipp und Anne ganz ungeduldig, und sie betteln so lange, bis der Großvater schließlich den Ast vom Kirschbaum auf die Seite bindet. Gleich fällt die Sonne auch auf das kleine Pflänzchen. Philipp beugt sich zu ihm hinunter und flüstert ihm zu: »Nun kannst du auch wachsen, meine kleine Sonnenblume.« Und tatsächlich, wie alle Sonnenblumen zu riesengroßen Pflanzen geworden sind, da ist auch die kleine Sonnenblume dabei und streckt ihre herrliche Blüte der Sonne entgegen.

Vertiefung (Stilleelement)

Nach einem kurzen Austausch über die Geschichte bekommt jedes Kind ein Chiffontuch. Es wird so in der Faust zusammengeknüllt, dass es nicht mehr zu sehen ist.
Die Hand ist eine geschlossene Blütenknospe. Alle sind leise. Die Hand wird nun langsam geöffnet. Das Tuch quillt von selbst heraus. Es sieht aus, als ob eine Blume sich entfalten würde. Die Kinder stehen langsam auf und können ihre Hand mit der »Blüte« nach oben, der Sonne entgegen strecken.

Singen und Beten

Nun wird die 3. Strophe des Liedes »Wir tanzen heut den Sonnentanz« (s. S. 79) gelernt und mit Bewegungen gesungen. Anschließend – noch im Kreis stehend – sprechen wir das Gebet (s. S. 80).

Gestalten

Dann malen die Kinder das hier abgebildete Sonnenblumen-Mandala (Vorlage unten) an. Es wird dabei nur wenig und leise gesprochen, im Hintergrund kann eine ruhige Musik laufen.

3. Einheit: Die Sonne gibt den Früchten Kraft zum Reifen

Materialliste

Schachtel/Kiste mit Deckel, in der sich verschiedene Früchte/Gemüse befinden, evtl. zusätzlich: Äpfel in verschiedenen Sorten/Reifegraden, Obstmesser.

Einstieg: Die Schatzkiste (Stilleelement)

(Die Kinder sitzen im Kreis, z.B. auf Sitzkissen. In der Mitte liegt wieder das Sonnenplakat. Auf der Sonnenmitte steht eine »Schatzkiste« mit Deckel, in der sich Früchte befinden, z. B. Tomate, Apfel, Birne, Nuss, Gurke, Paprika usw. Sie sind aber nicht zu sehen!)

Die Kinder schließen die Augen und bekommen eine Frucht aus der Schatzkiste in die Hand gelegt. Nun sollen sie mit vorsichtigem Tasten herausbekommen, was sie in den Händen halten. Nach kurzer Zeit öffnen sie die Augen wieder und schauen sich die Frucht an. In der anschließenden Gesprächsrunde teilen sie mit, was sie getastet und gemeint haben, in den Händen zu halten. Ihre Früchte legen sie dann rund um das Sonnenplakat herum an die Sonnenstrahlen. So wird sichtbar: Die Früchte brauchen die Sonne, um reifen zu können.

Essen und Schmecken

Beim gemeinsamen Kosten von Früchten wird nun noch der Geschmackssinn mitbeteiligt. Je mehr Sonne eine Frucht abbekommen hat, umso süßer schmeckt sie. Das können die Kinder auch anhand von verschieden gereiften, süßen und sauren Äpfeln der gleichen und unterschiedlicher Sorte schmecken. Diese werden aufgeschnitten, vielleicht noch betrachtet (ein quer aufgeschnittener Apfel sieht besonders schön aus) und unter Beachtung des süßen oder sauren Geschmacks gemeinsam und ganz bewusst gegessen.

Singen und Beten

Nun lernen wir die 4. Strophe des Liedes »Wir tanzen heut den Sonnentanz« (siehe unten) und singen sie mit Bewegungen. Anschließend – noch im Kreis stehend – sprechen wir das Gebet (s. S. 80).

Bausteine für das gesamte Thema

(Das folgende Lied kann jedes Mal gesungen und getanzt werden.)

Wir tanzen heut den Sonnentanz

Text und Melodie: Gabriele Traub
Rechte bei der Autorin

2. Wir tanzen heut den Sonnentanz
und bilden einen Strahlenkranz.
Spürst du die Sonne auf der Haut,
wie sie voll Wärme auf dich schaut?
Wir freuen uns an ihr
und danken Gott dafür.

3. Wir tanzen heut den Sonnentanz
und bilden einen Strahlenkranz.
Die Blumen wachsen bis hinauf,
die Sonne macht die Blüten auf.
Wir freuen uns an ihr
und danken Gott dafür.

4. Wir tanzen heut den Sonnentanz
und bilden einen Strahlenkranz.
Hast du die Früchte auch gesehn?
Die Sonne macht sie erst so schön.
Wir freuen uns an ihr
und danken Gott dafür.

Bewegungen zum Lied:

Bewegungen zum Lied

(Zu den einzelnen Strophen können folgende Bewegungen gemacht werden, immer bei den Versteilen, die Strophe für Strophe wechseln.)

Strophe 1: Die Hände langsam nach unten sinken lassen.
Strophe 2: Mit beiden Händen streicht sich jeder selbst vorsichtig über Arme, Brust und Schultern.
Strophe 3: Die Hände breiten sich langsam von ganz unten weit nach oben aus.
Strophe 4: Die Hände beschreiben in der Luft einen großen runden Apfel.

(Bei den Versteilen, die in jeder Strophe wiederholt werden, können folgende Bewegungen gemacht werden.)

Die Kinder stellen sich im Kreis auf und nehmen sich an den Händen.

Bei »Wir tanzen heut den Sonnentanz« wiegen die Kinder sich am Platz leicht hin und her.

Bei »und bilden einen Strahlenkranz« strecken sie die Hände strahlenförmig in die Höhe.

Für die nächsten beiden Zeilen lassen sie die Hände jeweils los, um die besungenen (oben beschriebenen) Bewegungen auszuführen.

Bei »Wir freuen uns an ihr und danken Gott dafür« drehen sich die Kinder um sich selbst und klatschen im Rhythmus zum Lied.
Nach der Drehung nehmen sie sich wieder an den Händen. Dann beginnt die nächste Strophe.

Gebet

(Es schließt jedes Mal die Gruppenphase ab.)

Ich freu mich über die Sonne, Gott.
Die Sonne macht unser Leben hell.
Wenn sie scheint, ist es warm und wir können draußen spielen.
Lieber Gott, ich danke dir für die Sonne.

Ich freu mich über die Sonne, Gott.
Sie macht, dass die Blumen wachsen können und unsere Welt bunt ist.
Die Sonne macht, dass Früchte wachsen können,
und wir etwas zu essen haben.
Lieber Gott, ich danke dir für die Sonne.
Amen.

Abschied

Sich trennen müssen und einander verbunden bleiben

Gottfried Mohr

Das Thema und die Kinder

Die Kinder erinnern sich an eigene Abschiedssituationen und lernen anhand eines lebensweltlichen und eines biblischen Beispiels, wie die Möglichkeiten des Briefes, des Gebetes und des Segens je auf ihre Weise getrennte Menschen miteinander verbinden können.

Biblischer Bezug

Die Abschiedsgeschichte von David und Jonathan, 1. Samuel 20.

Bausteine zur Gestaltung

Es werden drei Erzählungen geboten, zunächst die beiden zusammenhängenden, an die Lebenswelt der Kinder anknüpfenden Geschichten »Abschiednehmen tut weh« und »Wir denken aneinander und beten füreinander«, dann eine Nacherzählung der biblischen Geschichte aus dem ersten Samuelbuch. Methodisch abwechslungsreich werden die Erzählungen vor- und nachbereitet (Bildbetrachtung, Spielangebot, Gespräche).
Für die liturgische Gestaltung finden sich ein Gebet und das Bewegungslied »Segne und behüte« (s. S. 86). Weitere Liedempfehlungen: »Ich möcht', dass einer mit mir geht« (EG 209; LJ 137; MKL 1, 82), »Du hast uns, Herr, gerufen« (EG 168,4-6; LJ 112,4-7; Melodie s. auch GL 505).

■ Inhaltliche Überlegungen

Abschiednehmen ist ein inneres Lebensthema, das uns ständig begleitet, weil wir von jedem Augenblick bereits im nächsten Moment wieder Abschied nehmen müssen. »Verweile doch! Du bist so schön.« ist auch in Goethes Faust ein Wunsch geblieben.

Abschied wird allerdings in besonderen Situationen zum bewussten Lebensproblem, wenn etwa weit entfernt voneinander lebende Freundinnen oder Freunde sich nach gemeinsamen Tagen trennen, wenn ein Umzug ansteht, wenn wir vom Tod eines Menschen betroffen sind.

Die Kinder im Kindergartenalter erleben Abschied, wenn sie in den Kindergarten gebracht werden und wenn sie am Schluss des Kindergartentages nach Hause gehen. Sie erleben den letzten Tag im Urlaub, wenn sie sich vom Strand oder vom Campingplatz verabschieden. Sie erleben Abschiede nach schönen Besuchen oder wenn der Vater oder die Mutter auf eine längere Dienstreise geht. Sie erleben Abschiede, wenn eine Erzieherin den Arbeitsplatz wechselt oder Mitarbeiter in der Kinderkirche aufhören. Kinder können die Endgültigkeit mancher Abschiede noch nicht in ihrer ganzen Tragweite erfassen. Genauso schwer fällt es ihnen, sich vorzustellen, dass sie mit dem Menschen, von dem sie momentan getrennt sind, in Gedanken verbunden sein können.

Die drei folgenden Einheiten rufen den Kindern die mit Abschieden verbundene Trauererfahrung ins Gedächtnis und zeigen, dass Abschiedsschmerz positiv umformuliert werden kann, wenn man aneinander denkt, füreinander betet und sich und die andere Person unter dem Segen Gottes weiß.

■ Zur Gestaltung

1. Abschiednehmen tut weh

Bildbetrachtung

Wir schauen das Bild »Abschied am Bahnhof« an und sprechen darüber. Die Kinder erzählen wahrscheinlich zunächst manche Erlebnisse vom Zug fahren, bis sie auf die besondere Situation des Abschieds eingehen. Wichtig ist, dass sich die Kinder mit dem Kind im Vordergrund identifizieren.

Die Geschichte

Erzählung

Hier auf dem Bild seht ihr Sarah. Sie steht mit ihrem Vater am Bahnsteig. Sie schauen auf den abfahrenden Zug und winken. Langsam rollt der Zug aus dem Bahnhof. Aus dem Fenster winkt Großmutter mit einem Taschentuch. Der Zug wird schneller. Großmutters Gesicht ist immer weiter weg. Jetzt sieht Sarah nur noch das Taschentuch ganz in der Ferne. Jetzt ist der Zug weg. »Papa, ich bin ganz traurig«, sagt Sarah. »Komm«, sagt der Vater, »wir gehen heim.« Aber Sarah bleibt stehen. Sie kann noch nicht gehen. Und der Vater bleibt neben ihr.

Vor zwei Wochen standen sie auch hier am Bahnsteig. Da war Großmutter gekommen. Sarah hatte sie mit viel Freude begrüßt. Und an die Haustüre hatte sie ein Schild gemalt mit vielen Blumen drauf. Mutter hatte draufgeschrieben: »Herzlich willkommen!«

Und dann waren das zwei wunderschöne Wochen. Großmutter hatte viel Zeit für Sarah. Morgens ist Sarah zu Großmutter ins Bett gekrochen und hat sie aufgeweckt. Dann haben sie Spiele gemacht. Beim Einkaufen durfte sich Sarah immer etwas aussuchen. Und am Wochenende hatten Vater und Mutter auch Zeit. Da haben sie einen Ausflug gemacht: eine Schifffahrt auf dem Fluss. Und Eis haben sie gegessen und Pommes frites.

Ganz schnell waren die zwei Wochen vorbei. Heute Morgen war Großmutter schon auf, als Sarah sie wecken wollte. Sie hatte alle ihre Sachen in den Koffer gepackt. Das Zimmer sah plötzlich so leer aus. Und jetzt steht Sarah auf dem Bahnsteig. Der Zug ist längst abgefahren. Die Großmutter ist schon weit fort.

»Papa, ich bin ganz traurig!«, sagt Sarah. Sie merkt, Vater ist auch ein bisschen traurig. »War schön, dass Großmutter da war«, sagt er. »Ja«, sagt Sarah, »und morgen soll sie wiederkommen!« – »So bald wird das nicht sein. In einem halben Jahr vielleicht.« Sarah weiß nicht, wie lang ein halbes Jahr ist. »Weißt du was«, sagt der Vater, »wir schreiben Großmutter eine Karte. Du sagst, was ich schreiben soll.«

Und dann gehen sie. Vater kauft am Kiosk eine Ansichtskarte und eine Briefmarke – wie im Urlaub. Dann gehen sie ins Café und trinken beide eine Cola. Vater schreibt, was Sarah sagt:

Liebe Großmutter!
Ich bin ganz traurig, weil du weg bist.
Komm bald wieder.

Viele Grüße
deine Sarah.

Spiel: Sich verabschieden

Die Kinder haben Gelegenheit, eigene Abschiedserlebnisse zu erzählen, wenn die Geschichte sie dazu animiert hat. Im Anschluss überlegen wir gemeinsam: Was machen wir, wenn wir uns von einem Menschen verabschieden? Dann spielen wir solche Situationen durch: einander die Hand geben, einander umarmen, sich voneinander entfernen und dabei winken usw.

2. Wir denken aneinander und beten füreinander

Einstieg und Anknüpfung

Jedes Kind bekommt eine Kopie des Bildes »Abschied am Bahnhof« (s. S. 82). Die Kinder malen das Bild aus. Wir betrachten es miteinander und erzählen uns von Sarah und ihrer Großmutter.

Erzählung

Die Geschichte

Zwei Tage später erhält Sarah einen Brief von Großmutter. Er steckt in einem Umschlag, auf den außen ein paar Blümchen gemalt sind. Die gefallen Sarah sehr gut. Vorsichtig muss Papa den Umschlag aufmachen und den Brief vorlesen.

Liebe Sarah,

jetzt habe ich das erste Mal wieder in meinem Bett geschlafen. Ich bin aufgewacht, und du warst nicht da. Dann ist mir eingefallen: Ich bin ja wieder zu Hause! Und dann ist gleich heute deine liebe Karte gekommen. Da habe ich mich sehr, sehr gefreut!

Gestern im Zug auf der Heimfahrt war ich auch ganz traurig. Es war so schön mit dir und deiner Mutter und deinem Vater. Ich hab auch gemerkt, dass du ganz traurig warst auf dem Bahnsteig. Ich habe die ganze Fahrt lang an dich gedacht und abends vor dem Einschlafen ganz besonders. Da hab ich einfach gesagt: »Lieber Gott, es war so schön mit Sarah. Danke. Mach, dass sie jetzt nicht traurig ist!« Dann bin ich eingeschlafen, so müde war ich von der Reise.

Es war übrigens höchste Zeit, dass ich nach Hause gekommen bin. Meine Blumen haben die Köpfe hängen lassen. Die brauchen Wasser. Heute gehe ich mit Frau Wieland zum Arzt. Ich hab dir doch erzählt: Die sieht so schlecht. Ich begleite sie. Du siehst, ich habe viel zu tun. Du ja auch: Der Kindergarten fängt wieder an. Ich komme sicher bald wieder, weil es bei euch so schön ist. Bis dahin denke ich ganz fest an euch und freue mich, wenn du mal wieder eine Karte schreibst.

Gott befohlen
deine Großmutter.

PS: Sag deinen Eltern noch mal vielen Dank für die schönen Tage!

Gespräch

Hinführung: Am Abend vor dem Schlafengehen will Sarah unbedingt noch einmal hören, was Großmutter geschrieben hat. Vater liest noch einmal vor. Sarah will wissen: »Was heißt das: ›Gott befohlen‹?« – Lasst uns einmal miteinander überlegen, was das bedeuten könnte. –

(Gespräch mit den Kindern)

Dann sagt Sarah: »Nun möchte ich für Großmutter beten.« – Lasst uns überlegen, was sie beten könnte.

(Die Kinder bringen ihre Ideen ein. Eventuell darf jedes Kind dazu auch ein Teelicht anzünden.)

3. Zwei Menschen verabschieden sich – beide bleiben unter Gottes Segen

Die Geschichte

Erzählung

David und Jonatan sind Freunde. Seit Jahren schon gehören sie fest zusammen. David ist Diener von König Saul. Er spielt für König Saul Harfe und singt dazu. Jonatan ist der Sohn von König Saul.

Seit ein paar Wochen muss David sich verstecken. Er kann nicht mehr in den Palast und Harfe spielen. Saul ist böse auf ihn. Er beneidet David, weil dieser jung ist und fröhlich, weil ihm gelingt, was er anpackt. Saul ist so böse, dass er einen Speer nach David geworfen hat. Zum Glück hat er David damit nicht getroffen. Trotzdem hat David Angst und flieht.

Spät abends im Versteck treffen sich David und Jonatan. Jonatan sagt: »Vater meint es sicher nicht so böse. Komm zu uns zurück!« David glaubt das nicht: »Dein Vater will mich umbringen.« Da hat Jonatan eine Idee. Er sagt: »Morgen ist Neumondfest. Vater wird dich vermissen. Wenn er nach dir fragt, werde ich dich entschuldigen. Vielleicht sagt er dann: ›Ist gut.‹ Dann ist alles gut. Vielleicht kriegt er eine Wut. Dann musst du weit weg fliehen.« – »Und wie erfahre ich davon?«, fragt David. »Ich werde nach dem Fest hier auf dem Feld Bogenschießen üben. Drei Pfeile werde ich abschießen. Wenn ich meinem Diener zurufe: ›Komm hierher! Die Pfeile sind näher bei mir!‹, dann ist alles gut. Rufe ich: ›Geh weiter weg! Die Pfeile sind weiter weg!‹, dann musst du fliehen.«

Am Tag nach dem Neumondfest versteckt sich David hinter einem Steinhaufen. Da hört er Schritte. Jonatan kommt mit seinem Diener. David hört, wie die Pfeile durch die Luft sausen. Sein Herz klopft. Dann hört er Jonatans Stimme: »Diener! Weiter weg! Weiter weg! Ganz weit weg liegen die Pfeile!«

David weiß, was das bedeutet. Er muss fliehen. Er muss sich trennen von Jonatan, seinem besten Freund. »Geh!«, ruft Jonatan zum Diener, der ihm die Pfeile bringt. »Geh nach Hause! Ich komme später.«

Jonatan steht ganz allein auf dem weiten Feld. Da hält es David in seinem Versteck nicht mehr aus. Er läuft auf Jonatan zu. Beide umarmen sich. Lange, sehr lange. Beide weinen. Dann sagt Jonatan: »Wir wollen Freunde bleiben. Wir haben es uns vor Gott versprochen. Unsere Kinder und Familien sollen Freunde bleiben, jetzt und immer. Geh in Gottes Frieden. Der Herr segne dich.«

Noch einmal drückt David Jonatan ganz fest an sich. Dann geht er. Er rennt ganz schnell weg. Jonatan geht in die Stadt zurück.

Gebet

Lieber Gott,
Abschiednehmen ist schwer.
Manchmal sind wir gerade im schönsten Spiel,
und dann heißt es: »Komm, wir müssen nach Hause.« Das ist schade.
Manchmal müssen wir umziehen in eine andere Stadt oder ein anderes Land
und alle unsere Freundinnen und Freunde zurücklassen. Das ist schlimm.
Lieber Gott,
schön ist es, wenn wir aneinander denken können.
Dann ist der andere gar nicht weit weg.
Schön ist es auch, wenn wir füreinander beten können.
Dann wissen wir, dass du an uns denkst
und an den Menschen, den wir lieb haben, auch.
Lieber Gott,
wir bitten dich: Tröste uns, wenn wir Abschied nehmen müssen.
Und gib uns gute Gedanken füreinander, wenn wir nicht beieinander sind.
Wir wissen, dass wir alle unter deinem Segen leben.
Amen.

Segne und behüte uns

Text: Johannes Goßner 1825.
Melodie: Christian Gregor 1784

Bewegungen zu diesem Segenslied
(Als Ausgangsposition stehen wir im Kreis, die Arme hängen nach unten.)

Segne und behüte — *Wir strecken die Arme mit geöffneten Händen nach vorne.*

uns durch deine Güte, — *Wir fassen uns an den Händen.*

Herr, erheb dein Angesicht — *Wir gehen mit gefassten Händen einen Schritt nach vorne.*

über uns und gib uns Licht. — *Wir heben unsere Hände hoch.*

(Wird das Lied mehrmals gesungen, müssen wir nach dem letzten Ton einen Schritt zurückgehen.)

In der Fremde Heimat finden

Die Geschichte von Ruth

Lisbeth Reuß

Das Thema und die Kinder

In der Geschichte der Ruth stehen die Themen Fremd-Sein, Angst und Vertrauen im Vordergrund. Den Kindern werden Probleme des Fremd-Seins bewusst, und sie lernen Problemlösungen kennen.

Biblischer Bezug:

Das Buch Ruth

Bausteine zur Gestaltung

Die Geschichte der Ruth wird in drei Teilen erzählt: »In der Fremde lebt sich's schwer«, »Zu zweit ist besser als allein«, »Ein neues Leben beginnt«. Die Kinder basteln Pappfiguren, kleben ein Stoffbild und begleiten so die Geschichte (Materialliste s. S. 92). Während der Erzählungen werden folgende Lieder gesungen: »Lasst uns gehn in unser Land«, »Die Ähren sind schwer«, »Heute feiern wir ein Fest« (s. S. 91–92). Außerdem empfehlen wir die Lieder: »Hallelu-, Hallelu-, Hallelu-, Halleluja« (LJ 389; SL 23, in verschiedenen Sprachen), »Kindermutmachlied: Wenn einer sagt« (KG 150; LJ 624; MKL 1, 100; SL 221), »Schwarze, Weiße, Rote, Gelbe« (LJ 606; MKL 1, 95). Gebete mit dem gemeinsamen Kehrvers: »Du bist da, wo Menschen leben« (KG 147; LJ 498; MKL 1, 42) vervollständigen das Angebot zur liturgischen Gestaltung.

■ Inhaltliche Überlegungen

Nicht nur Kinder, die mit ihren Familien aus anderen Ländern zu uns kommen, machen die Erfahrung von Fremd-Sein. Auch ein Umzug in ein anderes Haus, eine andere Wohngegend, ein anderes Dorf oder eine andere Stadt vermittelt ein Gefühl für die Chancen und die Mühen von Veränderungen: Manches war am alten Ort anders und ist hier schwer einzusehen (z. B. die Regeln im neuen Kindergarten), Beziehungen gehen auseinander, neue Freundschaften entstehen. Die Erzählung von Naemi und Ruth ermutigt die Kinder, in solchen Wechselfällen des Lebens den Abschiedsschmerz zu überwinden und mutig neue Bindungen einzugehen. Außerdem verhalten sich die Personen in der Geschichte gegenüber den jeweils fremden Menschen, denen sie begegnen, auf beispielhafte Weise einfühlsam und offen.

■ Zur Gestaltung

1. Erzählung: In der Fremde lebt sich's schwer

Die Geschichte

Obed ist ein kleiner Junge in Bethlehem, seine Mutter heißt Ruth, sein Vater Boas. Eine alte Frau lebt auch noch bei ihnen im Haus. Obed nennt sie nur Oma Naemi, obwohl sie irgendwie nicht seine richtige Oma ist.

Einmal fragt Obed: »Mutter, du sprichst irgendwie anders, anders als Oma Naemi, anders als Vater und auch anders als die Mütter von meinen Freunden. Warum ist das so?« – »Weißt du, Obed, Naemi und Vater sind hier in Bethlehem geboren, sie sprechen wie alle Leute hier. Ich bin ganz woanders geboren, weit weg in einem anderen Land. Dort sprechen die Leute eine andere Sprache.« – »Und warum bist du jetzt hier in Bethlehem?« – »Komm her, Obed, wir setzen uns in den Schatten, und ich erzähle dir, wie das gekommen ist.

Vor vielen Jahren lebten hier in Bethlehem Oma Naemi und ihr Mann Elimelech. Die beiden hatten zwei Söhne. Sie wohnten in dem kleinen Häuschen – weißt du's noch? –, in dem hat Oma Naemi gewohnt, bevor sie zu uns hergezogen ist. Sie hatten auch ein kleines Feld, auf dem sie Getreide anbauten. Es reichte immer gerade für das Brot, das sie für ein Jahr brauchten. In einem Sommer hatten sie wieder Samen auf ihr Feld gesät und warteten darauf, dass die Samen aufgehen sollten. Immer wieder gingen sie hinaus und schauten nach. Aber es sah schlecht aus: Nur ein paar Pflanzen gingen auf, denn die Erde war viel zu trocken.

Naemi und Elimelech dachten nach: ›Elimelech, wenn jetzt nicht schnell Regen kommt, wächst dieses Jahr kein Getreide mehr.‹ – ›Naemi, bald haben wir kein Brot mehr, ich fürchte, unsere Buben müssen hungern.‹ – ›Vielleicht können wir etwas Getreide kaufen.‹ – ›Wo denn, Frau? Es wächst doch überall nichts.‹ – ›Ich habe gehört, im Land Moab sei keine Hungersnot.‹ – ›Du meinst doch nicht etwa, wir sollten weggehen von Bethlehem, weg aus der Stadt, in der schon unsere Eltern und Großeltern gelebt haben? Wir können doch nicht in ein Land gehen, wo wir die Sprache nicht verstehen und wo wir niemanden kennen!‹ – ›Elimelech, sollen wir etwa lieber verhungern? Hab nur Mut, wir wagen es und werden es schon schaffen!‹

Bald darauf ging es los. Naemi und Elimelech hatten ihre Kleider in ein großes Tuch gebunden und trugen diese Bündel auf dem Rücken, ihre beiden Jungen trugen kleinere Bündel. Naemi hatte auch noch alles Essbare als Proviant eingepackt, was sie im Haus hatte finden können. Sicher mussten sie weinen, als sie sich von ihren Freunden und Nachbarn verabschiedeten. Sie konnten ja nicht wissen, ob sie sich einmal wiedersehen würden. Traurig machten sie sich auf den Weg und gingen nach Moab.

Moab ist ziemlich weit weg. Es ist mein Heimatland. Und in unser Dorf kam die fremde Familie. Damals war ich noch klein, ein bisschen größer wie du heute vielleicht. Trotzdem erinnere ich mich noch sehr gut: Mager waren der Mann und die Frau und die beiden Buben, die da kamen. Mager und müde von der langen Reise. Sie hatten ja alles zu Fuß gehen müssen. Am Dorfrand durften sie eine Hütte bauen und ein Feld bearbeiten. Sonst wollten die Leute nichts mit ihnen zu tun haben.

Das hat sich erst geändert, als die fremde Familie unsere Sprache gelernt hatte. Ich bin gern zu Naemi gegangen und habe ihr zugehört. Sie konnte so schöne Geschichten erzählen – du weißt ja, das kann sie heute noch –: von ihrem Zuhause, von den Menschen dort und auch von ihrem Gott. Richtig angefreundet habe ich mich mit der Familie. Ein bisschen später habe ich einen von Naemis und Elimelechs Söhnen geheiratet und mit allen im Haus der Familie gewohnt.

(Lied: »Hallelu-, Hallelu-, Hallelu-, Halleluja« – LJ 389; SL 23, in verschiedenen Sprachen)

2. Erzählung: Zu zweit ist besser als allein

Jetzt ging es Naemi und Elimelech gut. Sie hatten ein Haus und ein Feld. Auf dem Feld wuchs genug, um satt zu werden. Sie konnten die fremde Sprache sprechen und verstehen und hatten deshalb auch neue Freunde gefunden. Nicht nur der eine Sohn, mein Mann, sondern auch der andere hatte inzwischen geheiratet.

Leider ist es nicht so schön geblieben, wie es damals war. Oma Naemis Mann ist gestorben und ihre beiden Söhne auch, also mein Mann und sein Bruder. Mit einem Mal waren wir Frauen ganz allein. Wer sollte für uns sorgen? Vor allem Naemi war sehr bedrückt – wie konnte es auch anders sein.

Eines Tages sagte sie zu mir und der Witwe des Bruders meines Mannes: ›Setzt euch zu mir. Ich muss mit euch reden. Ich habe über unsere Zukunft nachgedacht. Ich denke, ich weiß jetzt, was wir machen müssen. Ihr beide, du, Orpa, und du, Ruth, ihr geht zurück ins Dorf zu euren Eltern. Vielleicht kommt noch einmal ein junger Mann, der euch heiraten will. Wenn nicht, seid ihr bei euren Eltern und Geschwistern gut versorgt. Ich kann nicht für euch sorgen. Und ich will nicht, dass es euch schlecht geht, nur weil es mir schlecht geht. Ich mache mich auf den Weg nach Bethlehem. Dort, in meiner Heimatstadt, ist die Hungersnot inzwischen vorbei.‹ Da sagte ich: ›Aber Naemi, wir haben dich lieb. Wir gehören doch jetzt zu dir, auch wenn unsere Männer tot sind. Du darfst uns nicht wegschicken. Wir gehen mit dir.‹ – ›Was wollt ihr denn in Bethlehem? Dort seid ihr fremd, wie ich es hier war und bin, das ist nicht gut für euch.‹

Aber weißt du, Obed, Orpa und ich, wir haben uns durchgesetzt und sind trotzdem mit Naemi aufgebrochen. Wir wollten unbedingt bei ihr bleiben. Unterwegs hat sie aber wieder davon angefangen und gesagt: ›Jetzt ist noch Zeit, kehrt um, geht zurück zu euren Eltern.‹ Orpa befolgte Naemis Rat. Die beiden Frauen umarmten einander noch einmal. Dann ging Orpa zurück. Ich selbst wollte aber nicht zurück. Ich wollte zu dem Volk gehören, zu dem Naemi gehört und von dem sie mir so viel erzählt hatte. Ich wollte den Gott kennen lernen, zu dem Naemi betete. Deshalb sagte ich zu ihr: ›Ich gehe mit dir. Wo du hingehst, da will ich auch hingehen. Wo du bleibst, da will ich auch bleiben. Dein Gott soll auch mein Gott sein.‹ Da ließ Naemi mich endlich mitgehen. Wir zogen gemeinsam nach Bethlehem.

(Lied: »Lasst uns gehn in unser Land«, s. S. 91)

In Bethlehem freuten sich die Leute, dass Naemi wiederkam. Und sie trauerten mit ihr um ihren Mann und um ihre Söhne. Mich, die Ruth, schauten sie sehr skeptisch an. Wollten sie keine Fremden in Bethlehem? War es vielleicht doch nicht richtig, dass ich mitgekommen war? Jetzt wusste ich, wie sich Naemi gefühlt hatte, als sie damals in unser Dorf nach Moab gekommen war.

Das Häuschen von Elimelech und Naemi stand noch, du weißt: Oma Naemis altes Häuschen. Niemand hatte all die Jahre dort gewohnt. Wie das ausgesehen hat, kannst du dir nicht vorstellen! Es war ganz dreckig und das Dach war undicht. Gemeinsam putzten und reparierten wir so gut wir konnten. Wir schüttelten die verstaubten Decken aus und kehrten die Spinnweben aus den Ecken. Im Garten zupften wir Unkraut und pflanzten Gemüse an. Ganz misstrauisch beobachteten die Leute, wie wir alles wieder herrichteten. Wahrscheinlich dachten sie: Zwei Frauen ohne Männer – das geht nie gut!

Die Geschichte

3. Erzählung: Ein neues Leben beginnt

Der Anfang in Bethlehem war nicht leicht. Auch Naemi wurde manchmal mutlos. Einmal fragte sie mich: ›O Ruth, wovon sollen wir bloß leben?‹ Da hatte ich eine Idee: ›Naemi, sei doch nicht traurig, wir haben doch Gemüse im Garten. Und schau doch! Überall sind die Getreidefelder reif. Die Leute ernten jetzt. Ich will hinter den Mägden hergehen und die abgefallenen Ähren aufsammeln. So bekommen wir auch etwas Getreide zum Brotbacken.‹ – ›Ruth, das ist ein guter Plan. Du bist eine tüchtige Frau!‹

Am nächsten Morgen ging ich los und suchte ein Feld, das gerade gemäht wurde. Ich war ein bisschen unsicher. Ob die Leute mir erlauben würden, die abgefallenen Ähren zu sammeln? Ich fragte einen Knecht, der gerade in meiner Nähe stand: ›Guten Morgen, darf ich euch bitte hinterhersammeln und aufheben, was an Körnern auf den Boden fällt?‹ – ›Grüß dich! Bist du nicht die Moabiterin, die mit Naemi gekommen ist? Von mir aus kannst du ruhig sammeln. Ich habe nichts dagegen. Ich denke, ihr zwei Frauen könnt es gut gebrauchen!‹

So fing ich also an. Ich ging hinter den Mägden her, immer tief gebückt, um ja nichts zu übersehen. Es lag noch viel auf dem Feld. Ließen die womöglich extra etwas für mich liegen? Um die Mittagszeit war mein Sack schon fast voll. Der Bauer kam und brachte seinen Arbeitern etwas zu essen. Ich dachte mir: ›Hoffentlich hat der nichts gegen mich!‹ Ich sah, wie er sich mit dem Knecht unterhielt. Dann rief er mich zu sich: ›He, Ruth, du kannst dich zu meinen Leuten setzen. Da bekommst du auch etwas zu essen und zu trinken.‹ Das waren die ersten Worte, Obed, die dein Vater zu mir sagte. Und ich bekam an diesem Tag so viel, dass ich sogar noch etwas für Naemi einstecken konnte.

(Lied: »Die Ähren sind schwer«, s. S. 92)

Du kannst dir vorstellen, wie ich mich freute, als ich abends nach Hause kam: ›Naemi, Naemi, schau doch, wie viel ich gesammelt habe! Und sieh, ich hab dir auch noch etwas von dem Essen mitgebracht, das die Mägde und Knechte draußen auf dem Feld bekommen haben!‹ – ›Ruth, wer war denn so gut zu dir? Wem gehört das Feld, wo du gesammelt hast?‹ – ›Ich glaube, das Feld gehört dem Bauern Boas.‹ – ›Ruth, das ist gut! Wir wollen Gott danken, dass du zu Boas gekommen bist. Das ist ein guter Mensch, der kann vielleicht für uns sorgen.‹

Als nun die Ernte vorbei war, wurde ein großes Erntefest gefeiert. Naemi bereitete mich darauf vor: ›Ruth, geh auch zum Erntefest! Zieh dein schönstes Kleid an und mach dir eine schöne Frisur! Ich möchte, dass du Boas gefällst. Wenn er dich zur Frau haben wollte, wäre das sehr gut für uns.‹ Anfangs traute ich mich nicht auf den Festplatz, wo getanzt, gegessen und getrunken wurde und die vielen Leute waren. Ich blieb ganz am Rand stehen. Aber Boas, dein Vater, hat mich trotzdem gesehen – du weißt ja, was für scharfe Augen der hat. Ich habe ihm gefallen. Er mir auch. Ein paar Wochen später hat er mich gefragt, ob ich seine Frau werden wolle. Natürlich wollte ich! Und so kam alles, wie Naemi es sich gewünscht hatte. Und so gab es bald nach dem Erntefest wieder ein Fest: unsere Hochzeit! Ab diesem Tag habe ich mich hier in Bethlehem genauso zu Hause gefühlt wie in dem Dorf in Moab, in dem ich groß geworden bin. Dass ich nicht schon immer hier gelebt habe, das merkt man allerdings noch ein bisschen an meiner Aussprache, da hast du Recht, mein kleiner Obed.«

(Lied: »Heute feiern wir ein Fest«, s. S. 92)

Lieder

Lasst uns gehn in unser Land

Text: Peter Horst und Ludwig Keller
Melodie: Ludwig Keller

2. Lasst uns gehn in unser Land, wo wir die Wahrheit sagen können! Ist nicht weit, das schöne Land, wo wir die Wahrheit sagen können.

3. Lasst uns gehn in unser Land, wo jeder gute Freunde findet! Ist nicht weit, das schöne Land, wo jeder gute Freunde findet.

4. Lasst uns gehn in unser Land, wo wir wie Brüder alles teilen! Ist nicht weit, das schöne Land, wo wir wie Brüder alles teilen.

5. Lasst uns gehn in unser Land, wo wir einander gut verstehen! Ist nicht weit, das schöne Land, wo wir einander gut verstehen.

6. Lasst uns gehn in unser Land, wo Große nicht die Kleinen schrecken! Ist nicht weit, das schöne Land, wo Große nicht die Kleinen schrecken.

7. Lasst uns gehn in unser Land, wo wir in Freiheit leben können! Ist nicht weit, das schöne Land, wo wir in Freiheit leben können.

Lieder Fortsetzung ▷

Die Ähren sind schwer

Kanon

Text und Musik: Albrecht Schmidt-Brücken
Rechte beim Autor

Heute feiern wir ein Fest

Text und Musik: Harald Beck
Rechte beim Autor

Kreative Gestaltung

Materialliste

Pappfiguren: dickerer und dünnerer weißer oder heller Pappkarton, Wachsstifte, Scheren.
Stoffbild: ein großes Stück Stoff als Unterlage für das Stoffbild, Stoffflicken für Figuren, Häuser und Landschaft.

Vor der Erzählung werden einfache Pappfiguren gebastelt. Dazu werden die Silhouetten der handelnden Personen von den Mitarbeitenden auf dickeren Karton aufgemalt und ausgeschnitten. Diese Schablonen können die Kinder nun auf dünneren Karton übertragen, die Figuren ausschneiden und anmalen. Die Pappsilhouetten stehen, wenn man ihnen eine Wäscheklammer an den Fuß klemmt. Während der Erzählung können die jeweils handelnden Personen anhand der Figuren zunächst vorgestellt werden (»In unserer Geschichte gibt es eine alte Frau, sie heißt Naemi.«). Diese werden dann entsprechend dem Verlauf der Geschichte hin und her gezogen.

Nach den Erzähleinheiten entsteht ein Szenenbild aus Stoff, das beispielsweise die zwei Frauen auf dem Weg zeigt oder das Erntefest in Bethlehem. Je nach Fertigkeit der Kinder werden dazu Stoffteile ausgeschnitten, die wie ein Puzzle zu Figuren, Häusern, Wegen und Landschaften zusammengelegt und auf den Stoffhintergrund aufgeklebt werden.

Gebete mit Gebetsruf

(Die einzelnen Gebetsanliegen werden durch den gemeinsam gesungenen Gebetsruf »Du bist da, wo Menschen leben« bekräftigt; KG 147; LJ 498; MKL 1, 42, Strophe 1)

Gebet zur ersten Erzählung

Lieber Gott,
wir haben von Naemi und ihrer Familie gehört.
Sie musste ihr Land verlassen und in der Fremde neu anfangen.
Das war für alle nicht einfach. Du hast ihnen geholfen.

Du bist da, wo Menschen leben ...

Lieber Gott,
auch wir fühlen uns manchmal fremd:
in einer neuen Gruppe von Kindern oder dann, wenn wir umziehen müssen.
Das ist nicht einfach. Wir bitten dich: Mach uns Mut
und schenke uns neue Freundinnen und Freunde, damit wir uns wohl fühlen.

Du bist da, wo Menschen leben ...

Lieber Gott,
manchmal begegnen wir Kindern,
die uns nicht kennen und die wir nicht kennen.
Vielleicht fühlen sie sich bei uns allein.
Wir bitten dich: Lass uns aufeinander Acht haben.
Lass uns vorsichtig sein und uns umeinander kümmern,
damit keiner und keine sich bei uns einsam fühlen muss.

Du bist da, wo Menschen leben ...

Gebet zur zweiten Erzählung

Lieber Gott,
wir haben von Naemi und Ruth gehört. Sie haben zueinander gehalten.
Ruth ist mutig den Weg mit Naemi mitgegangen.
Das war für sie nicht einfach. Du hast ihr geholfen.

Du bist da, wo Menschen leben ...

Lieber Gott, wir bitten dich:
Lass auch uns zu den Menschen halten, die wir lieb haben.
Manchmal ist das nicht leicht.
Unsere Freundin oder unser Freund oder unsere Eltern machen nicht immer, was wir gut finden.
Mach uns Mut, miteinander zu leben.

Du bist da, wo Menschen leben ...

Gebet zur dritten Erzählung

Lieber Gott,
wir haben von Naemi und Ruth und Boas und Obed gehört.
Sie sind zu einer neuen Familie zusammengewachsen.
Vielleicht haben Naemi und Ruth gar nicht mehr geglaubt,
dass sie wieder so glücklich werden könnten. Du hast ihnen geholfen.

Du bist da, wo Menschen leben ...

Lieber Gott,
auch wir genießen es, wenn wir beieinander sind – mit Menschen,
die wir schon lange kennen und mit Freunden.
Wir bitten dich: Lass uns immer wieder erfahren,
dass es gut ist, beieinander zu sein.

Du bist da, wo Menschen leben ...

»Mit meinem Gott kann ich über Mauern springen«

Eine Spielszene zu Kranksein, Klage und Vertrauen

Achim Pantle

Das Thema und die Kinder

Der folgende Entwurf knüpft an die Krankheitserfahrungen von Kindern an, stellt anhand einer neutestamentlichen Heilungsgeschichte die Möglichkeiten von Klage und Vertrauen vor und animiert dazu, im eigenen Umfeld auf Kranke zu achten.

Biblischer Bezug

Die Erzählung von der Heilung des blinden Bartimäus (Markus 10,46-52) bildet den Kern des Entwurfs. Das Symbol der Mauer entstammt Psalm 18,30.

Bausteine zur Gestaltung

Es wird ein Spiel in zwei Szenen geboten, außerdem ein Lied nach dem Psalmwort (s. S. 100) sowie Gebete für Eingangs- und Schlussteil (s. S. 100 und 101). Als kreative Aktion gestalten die Kinder eine Grußkarte mit dem Schriftzug des Psalmworts (Gestaltungsanleitung s. S. 99).

■ Inhaltliche Überlegungen

Kinder nehmen Kranksein unterschiedlich wahr. Das »übliche« eigene Kranksein wird nicht nur negativ erlebt. Man muss einmal nicht in den Kindergarten und wird umsorgt. Zieht sich eine Erkrankung hin, dominiert der Wunsch, wieder am Leben teilzuhaben wie andere auch. Anderen Kranken begegnen Kinder oft unvoreingenommen und solidarisch. Es sei denn, eine chronische Erkrankung beeinträchtigt das gemeinsame Spielen. Hier baut Krankheit Mauern zwischen gesundheitlich Beeinträchtigten und Gesunden.

Nach biblischem Verständnis beruht Kranksein letztlich auf der »Entfremdung des Menschen von Gott«, »Sünde, Krankheit und Tod hängen demnach zusammen« (M. Seitz). Allerdings verbietet es sich, diesen Zusammenhang im Blick auf andere konkret entschlüsseln zu wollen (vgl. Johannes 9,3). Kinder werden höchstens unbewusst eigene Gesundheitskrisen als Glaubenskrisen thematisieren. Sprachhilfe geben hier die Psalmen. Besonders die Klagepsalmen zeichnen nach, wie Krankheit, soziale Isolierung und Glaubenszweifel ineinander greifen. Und sie drücken zugleich den Übergang in eine neue Gottesgewissheit aus (vgl. Psalm 30,3).

■ Zur Gestaltung

Spielszene mit Erzählung

(Requisiten für die Spielszene: ein Krankenbett und Bettzeug. Das Bett kann provisorisch aus Tischen oder Stühlen gebaut werden. Einfache Kostüme für ein krankes Mädchen, die Mutter und die Oma.)

1. Szene

(Sophia, ein Mädchen, das schon seit zwei Wochen krank ist, liegt in ihrem Bett. Weitere Personen: Sophias Mutter und Sophias Oma. Diese beiden können auch von einer Person gespielt werden, die sich entsprechend verkleidet.)

Die Geschichte

Sophia: *(mit matter Stimme)* Mama ... *(etwas lauter)* Mama! Komm doch bitte. Ich habe solchen Durst.

Mutter: *(ruft aus der Küche)* Warte bitte einen Moment, Sophia! Ich muss noch die Kartoffeln fertig schälen und das Wasser aufsetzen.

Sophia: Du sollst aber gleich kommen, ich muss etwas trinken!

Mutter: *(tritt ins Zimmer)* Also, dass du nicht einmal zwei Minuten warten kannst!

Sophia: *(weinerlich)* Das stimmt nicht! Ich kann sehr wohl warten. Ich bin schon seit zwei Wochen krank. Und seitdem warte ich und warte ich, dass das Fieber endlich weg ist und mir mein Magen nicht mehr weh tut und ich wieder normal essen kann. Und nichts passiert. Und jetzt hab ich eben Durst!

Mutter: *(genervt)* Darauf warte ich auch, dass du wieder gesund wirst. Dr. Krause sagt ja zum Glück, dass das nicht mehr lang dauern kann. Es ist nämlich gar nicht so einfach, dich zu pflegen und nebenher zu arbeiten. Die letzten zehn Tage habe ich immer noch fast bis Mitternacht am Computer sitzen müssen. Nur gut, dass ich die Arbeit fürs Büro von zu Hause aus erledigen kann.

Sophia: Du tust gerade so, als ob ich was dafür könnte, dass ich krank bin.

Mutter: Nein, das nicht, mein Schatz. Es ist eben nur nicht so einfach, und ich kann nicht immer gleich bereit stehen.

Sophia: Die ersten Tage warst du viel netter. Da hab' ich mich richtig wohl gefühlt hier in meinem Bett, trotz Fieber und der Sache mit dem Magen.

Mutter: Ja, findest du? Nun, ich gebe zu, ich bin ein bisschen mit den Nerven runter. Vielleicht sollte ich das nicht an dir rauslassen. *(plötzlich aufmerkend)* Huch! Hörst du auch das Zischen? Mein Kartoffelwasser kocht!
(geht ab)

Sophia: *(ruft hinterher)* Halt, vergiss nicht meinen Tee!

Mutter: *(kommt noch einmal mit einer Tasse zurück, hastig)* Hier, und trink nicht zu schnell! Ich muss weiterkochen. *(geht ab)*

Sophia: Na endlich. *(trinkt)* Huh, bin ich müde. *(legt sich zurück und schläft ein)*

(Nach dieser Szene überlegen sich die Kinder, was Sophia in ihrem Kranksein bedrückt und was sie selbst schon an Krankheitsnöten erfahren haben: »Wart ihr auch schon einmal krank, wie die arme Sophia? ...«.)

2. Szene

(Die in die Spielszene eingebaute Erzählung wird spannender, wenn man Bilder dazu zeigt, z. B. aus: Meine Bilderbibel. Geschichten aus der Bibel in Bildern von Kees de Kort, Deutsche Bibelgesellschaft, Stuttgart.)

Oma: *(kommt ins Zimmer herein)* Hallo, Sophielein. Schau mal, wer da ist!

Sophia: Oma! Schön, dass du kommst!

Oma: Und? Du siehst besser aus heute. Geht's dir auch besser?

Sophia: Ach, ich weiß nicht.

Oma: Na, sag schon. Wo drückt der Schuh?

Sophia: Also, vorher hab ich mit Mama gestritten. Sie kümmert sich gar nicht mehr lieb um mich. Immer schimpft sie.

Oma: *(schmunzelnd)* Du armes, armes Mädchen.

Sophia: Mir geht's wirklich schlecht hier im Bett mit dem Fieber und den Magenschmerzen. Essen kann ich nicht, was ich will. Und Fernsehen finde ich auch anstrengend. Die Mama ist bloß genervt von mir. In den Kindergarten kann ich nicht. Und besuchen tut mich auch keiner. Das ist wie ein Gefängnis!

Oma: Ja, jetzt verstehe ich, was du meinst. Manchmal steht eine Krankheit wie eine Mauer zwischen einem selbst und den anderen.

Sophia: Und was kann man da machen?

Oma: Warten, bis man wieder gesund ist!

Sophia: Nichts weiter? Du hast doch sonst immer so gute Ideen.

Oma: Sonst? Na, warte mal: Ich erzähle dir eine Geschichte. Also:

Es war einmal ein Mann, der hieß Bartimäus und wohnte in der alten Stadt Jericho. Obwohl Bartimäus noch jung war, war er krank, schwer krank. Er konnte nämlich nichts mehr sehen. Deshalb konnte er auch nicht arbeiten und musste betteln. Tag für Tag saß er an einem der Tore der mächtigen Stadtmauer auf dem staubigen Boden, hielt die Hand auf und hoffte auf ein wenig Geld. »Eine milde Gabe! Eine milde Gabe!«, diesen Ruf kannten die Bewohner der Stadt nur zu gut.

Seit Bartimäus blind war – es mochten wohl vier oder fünf Jahre sein – hatte er das Gefühl, dass zwischen ihm und den anderen Menschen eine Art Mauer emporwuchs. Oft hatte er Gott sein Leid geklagt: »Herr, mir ist, als hättest du mich verlassen. Niemand hat mehr Zeit für mich. Ich fühle mich, als lebte ich in einer anderen, einsamen Welt. Meine früheren Freunde unterhalten sich nicht mehr mit mir. Selbst meine Schwester, bei der ich wohnen darf, redet kaum noch mit mir. Ich fühle mich eingemauert wie in einem Gefängnis. Ich laufe wie im Kreis zwischen meinem Bettelplatz und der Hütte mit meinem Bett hin und her. Mein Gott, mir ist, als hättest du mich verlassen.«

Sophia: Du, Oma, ich bin ja nun nicht blind. Mir geht's ja viel besser, und ich werde auch wieder gesund. Aber ich habe mich auch schon gefragt, ob Gott eigentlich will, dass ich krank bin. Darf ich denn so etwas denken? Darf man denn so zu Gott reden, wie Bartimäus das getan hat? So vorwurfsvoll?

Oma: Ja, mein Kind, das darf man. Das hat Jesus sogar selbst getan. Wir dürfen auf Gott wütend sein und es auch sagen. Gott kann das aushalten.

Er kann das hören. Wir dürfen auch schreien. Gleich wirst du hören, wie Bartimäus geschrien hat. Also:

Eines Tages redeten die Leute: »Stellt euch vor: Jesus kommt mit einer großen Menge Menschen auf dem Weg nach Jerusalem hier durch Jericho.« Und zwei Tage später war es wirklich so weit. Als die Sonne im Mittag steht, hört Bartimäus viele aufgeregte Stimmen. Sie reden durcheinander und fangen an, ein Lied zu singen. Das können nur die Jesusleute sein. Vorsichtig schiebt sich der Blinde an der Mauer empor, an deren Fuß er immer sitzt. Er greift nach seinem Stock und wartet.

Der Menschenlärm kommt näher. »Wenn sie nach Jerusalem wollen, müssen sie hier vorbei«, murmelt Bartimäus vor sich hin. Da spürt er, dass die ersten kommen. »Aus dem Weg, Bettler!«, rufen sie. »Mach Platz für Jesus! Der will nach Jerusalem und hat keine Zeit für dich.« Wie Faustschläge hämmern diese Worte auf Bartimäus ein. Aber nach allem, was er von Jesus schon gehört hat, weiß er, dass das ein besonderer Mensch ist. Einer, der edel ist wie ein König, groß wie König David war. Einer, der außerdem den armen und kranken Menschen hilft. Bartimäus wird mutig: »Jesus, du Sohn Davids, hilf mir!«, ruft er in die Richtung, aus der er Jesus kommen hört.

»Halt den Mund!«, zischen ein paar Gestalten, die vorbeigehen. »Du störst Jesus. Er denkt bestimmt gerade darüber nach, was er uns als nächstes sagen will.« So leicht lässt sich Bartimäus aber nicht entmutigen. Er schreit noch einmal, noch viel lauter als vorher: »Jesus, du Sohn Davids, hilf mir!« Da stellen sich Menschen aus der Menge um den Bettler herum wie eine Mauer, als müssten sie Jesus vor ihm schützen. Jesus aber hat die Stimme gehört. »Ruft ihn her!«, weist er seine Jünger an, und die geben den Befehl weiter: »Lasst den Mann durch!«

Bartimäus lässt alles stehen und liegen, den Mantel, den Stock, das erbettelte Geld – sowieso nicht viel. Er tastet sich durch die Männer und Frauen, wie von selbst findet er die richtige Richtung. Als er vor Jesus steht, fragt dieser: »Was kann ich für dich tun?« – »Meine Krankheit, meine Augen, das steht wie eine Mauer zwischen mir und den Menschen. Bitte nimm diese Mauer weg, Herr! Mach, dass ich wieder sehen kann!«, platzt es aus Bartimäus heraus. Jesus antwortet ihm: »Du hast gesehen und gespürt, wie Menschen einander nötig haben. Und du hast gesehen und gespürt, dass dein Glaube dir helfen kann. Du sollst wieder nicht nur mit dem Herzen, sondern auch mit den Augen sehen!« Und mit einem Mal kann Bartimäus sehen. Er schaut sich um, blinzelnd noch, die Sonne blendet. Er sieht das Stadttor, die Mauer, die Wüste vor der Stadt, den blauen Himmel. Während er sich staunend umschaut, ziehen Jesus und seine Leute weiter. Da fasst der Bettler sich an den Kopf, denkt nach und denkt nach. »Jesus, der neue König – ich muss mit ihm nach Jerusalem ziehen. Ich will mich immer an ihn halten!«, so spricht er vor sich hin. Und dann rennt er los. Rennt los in ein neues Leben, ein Leben ohne Mauern.

Sophia: Das ist eine schöne Geschichte. Irgendwie eine Mutmachgeschichte.

Oma: Findest du das?

Sophia: Ja, ich habe gemerkt, dass ich Gott alles sagen kann. Und dass irgendwann die Mauern zwischen mir und den Menschen wieder weg sein werden.

Oma: So wird es bestimmt bald sein. Merk dir die Geschichte nur gut. Ich muss nun aber los. Also, alles Gute, meine Liebe!

Aktion: Grußkarte gestalten

Material für die Grußkarte:
Vorlage »Mit meinem Gott kann ich über Mauern springen« (s. unten und S. 102)
festes farbloses Transparentpapier (DIN A 6)
farbiger Karton (DIN A 5, 160 g/qm)
Wachsmalstifte, Bügeleisen, alte Zeitungen, Kleber

Und so wird's gemacht:

Die Kinder basteln eine Grußkarte als Geschenk für eine Person, die sie kennen und die krank ist. Die Vorlage »Mit meinem Gott kann ich über Mauern springen« wird auf das feste Transparentpapier kopiert. Die Kinder übermalen den Schriftzug und die Steine mit Wachsmalstiften in hellen Farbtönen. Die Farben müssen dick aufgetragen werden, damit die kopierte Schrift sich nicht löst, wenn nachher erhitzt wird.
Das Blatt wird gefaltet und zwischen Zeitungspapierbogen gebügelt. Dabei verfließen die Wachsfarben, der Schriftzug bleibt. Das bunte Blatt wird auf den farbigen Karton aufgeklebt. Die Karte wird rechts unten mit dem Namen des Kindes gekennzeichnet – manche Kinder können das vielleicht schon selbst.

Für eine DIN-A-6-Postkarte das Motiv beim Kopieren auf 110–114 Prozent vergrößern. Zwei weitere Motive zur Auswahl finden Sie auf Seite 102.

Gebete und Lieder

Mit meinem Gott kann ich über Mauern springen

Text und Musik: Johannes Matthias Roth

Homepage: www.johannes-music.de

Psalmgebet

(Der kursiv gedruckte Kehrvers wird mit den Kindern geübt, so dass ihn alle gemeinsam sprechen können.)

So, wie ich bin, komme ich zu dir.
So, wie wir sind, kommen wir zu dir.

Herr, mein Gott, es ist gut, dass du mich siehst.
Du siehst, wenn ich Angst habe,
du siehst, wenn ich unzufrieden mit mir bin,
du siehst, wenn es mir gut geht und wenn nicht.

So, wie ich bin, komme ich zu dir.
So, wie wir sind, kommen wir zu dir.

Deine Hand hält mich fest, wo immer ich bin.
Ich bitte dich, mein Gott, hilf mir,
dass ich mich nicht beklage, weil ich nicht so bin wie andere,
nicht so schön, nicht so klug oder nicht so gesund.

So, wie ich bin, komme ich zu dir.
So, wie wir sind, kommen wir zu dir.

Gott, ich danke dir, dass du mich festhältst.
Ich danke dir für alles, was du mir gegeben hast und gibst.
Gott, du kennst meinen Weg.
Es ist gut, mein Gott, das zu wissen.

So, wie ich bin, komme ich zu dir.
So, wie wir sind, kommen wir zu dir.

Nach G. Mohr, A. Weidle, (Hg.), »Sagt Gott, wie wunderbar er ist«, Verlag Junge Gemeinde, Leinfelden-Echterdingen 2005, S. 72.

Fürbittgebet mit Gebetsruf

Du verwandelst meine Trauer in Freude… (KG 198; LJ 508; MKL 1 9)

Guter Gott, du bist in unserer Mitte.
Wir danken dir dafür, dass wir zusammen sein können,
feiern, spielen, zuhören und lachen, Schönes entdecken.

Du verwandelst meine Trauer in Freude …

Guter Gott, du bist in unserer Mitte.
Wir denken jetzt an alle Kinder, die krank sind *(ggf. Namen nennen),*
und an kranke Erwachsene auch,
die Oma, den Opa, die Eltern, Onkel und Tanten,
Freunde, Nachbarinnen und Nachbarn *(ggf. Namen nennen).*
Wir wissen, du bist auch bei ihnen, zu Hause und im Krankenhaus.
Wir bitten dich: Beschütze sie und lass sie wieder gesund werden.

Du verwandelst meine Trauer in Freude …

Guter Gott, du bist in unserer Mitte.
Wir bitten dich: Öffne unsere Augen für Menschen,
die traurig und alleine sind oder krank und mutlos
oder alles zusammen.
Damit wir sehen, was sie brauchen.
Damit wir trösten und helfen können.

Du verwandelst meine Trauer in Freude …

Kopiervorlagen für Grußkarte »Mit meinem Gott kann ich über Mauern springen« (s. S. 99)

»Gott sorgt für uns«

Vertrauen lernen – Glauben lernen

Ellen Eidt

Das Thema und die Kinder

Über die Symbole »Vogelnest« und »Brot« nähern sich die Kinder den menschlichen Urerfahrungen von Gehalten-Werden und Satt-Werden an. Diese Grunderfahrungen werden mit der Botschaft »Gott sorgt für uns!« verknüpft und die Kinder mit hineingekommen in einen vertrauensvollen Glauben.

Biblischer Bezug

Jesu Wort aus der Bergpredigt »Seht die Vögel unter dem Himmel ...« (Matthäus 6,26) verbunden mit einer Legende aus dem Leben des Heiligen Franz von Assisi veranschaulicht, wie Gott seine Schöpfung und seine Geschöpfe erhält und trägt. Denselben Aspekt betont die Geschichte von der Speisung mit Manna in der Wüste (2. Mose / Genesis 16) im Blick auf das Volk Israel.

Bausteine zur Gestaltung

Das Thema wird in zwei Einheiten entfaltet. Bei der ersten steht die Geschichte eines kleinen Spatzes im Mittelpunkt, die mit dem Symbol des Vogelnestes entfaltet wird. Eine Einfühlungsübung in der Gruppe, ein Fingerspiel, eine Bastelanleitung für ein Vogelnest, Lieder und Gebete vervollständigen die Einheit.
Der zweite Zugang zum Thema orientiert sich am Symbol Brot, das von dem Mannawunder in der Wüste her erschlossen wird. Die Geschichte ist als Mitmach-Erzählung gestaltet und wird mit einem Bodenbild illustriert. Ein Lied mit Tanz und eine kurze »Brot-Liturgie« dienen der weiteren Vertiefung.

Inhaltliche Überlegungen

Zwischen dem vierten und achten Lebensjahr wachsen Kinder aus ihrem familiären Bezugsrahmen immer weiter heraus und erobern sich neue Lebensbereiche. Sie besuchen den Kindergarten, vielleicht den Kindergottesdienst und später die Schule. Im neuen Umfeld begegnen sie noch unbekannten Erwachsenen und anderen Kindern. Auch gelten dort andere Regeln als zu Hause.
Um die Bindung an ihre ersten Bezugspersonen (Mutter, Eltern, Familie) zu lockern und neue Bindungen einzugehen, braucht das Kind Erfahrungen, die sein Vertrauen stärken. Geschichten und ihre Identifikationsfiguren helfen, sich solcher positiver Erfahrungen bewusst zu werden. Der hier gewählte symboldidaktische und ganzheitliche Ansatz ermöglicht konkrete sinnenhafte Erfahrungen mit den ausgewählten Geschichten. Grunderfahrungen und Grund-Sätze wie »Es ist genug da« und »Du bist nicht allein« werden so auf tiefgehende Weise vermittelt.

▷▷▷

■ Zur Gestaltung

Eingangsliturgie für beide Einheiten

Die Kinder sitzen im Kreis und sprechen mit der entsprechenden Gestik:

Text	Bewegung
Ich geb' dir meine Hand.	*Die rechte Hand wird nach unten geöffnet dem Nachbarn/der Nachbarin hingehalten.*
Du gibst mir deine Hand.	*Die linke Hand, nach oben geöffnet, fasst die Hand des Nachbarn/der Nachbarin.*
Es bindet uns ein Band.	*Freundschaftlicher Händedruck.*
Wir wollen zusammen sein, denn Gott lädt uns ein.	*Alle stehen auf und heben die gefassten Hände zum Himmel.*
Amen.	*Alle setzen sich wieder.*

1. Einheit: Wie ein Vogel im Nest

Die Geschichte

Erzählung »Otto, der kleine Spatz«

Otto, der kleine Spatz, war noch jung. Gerade mal vier Wochen war es her, dass er aus seinem Ei geschlüpft war. Ganz am Anfang, da war er noch nackt und hatte Mühe, seinen Kopf zu heben. Und so ganz ohne Eierschale und Federn, da fror er selbst bei warmem Sonnenschein. Doch seine Mutter und sein Vater hatten weiche, warme Federn. Wenn sie sich aufs Nest setzten, dann wurde es darin kuschelig weich und warm. Und weil es dann auch dunkel war, schlief Otto meistens gleich ein.

Wenn Otto wieder aufwachte, dann waren oft die weichen Federn weg und sein kleiner Magen knurrte. Zum Glück war er da nicht allein. Fünf Spatzengeschwister saßen mit Otto im Nest. Und alle sperrten sie ihre hungrigen Schnäbel auf, sobald Spatzenmama oder Spatzenpapa auf dem Nestrand landeten. Eine Raupe oder ein Würmchen, manchmal auch ein weiches Körnchen – irgendetwas brachten sie immer mit für ihre Spatzenkinder. Die Spatzeneltern flogen hin und her. Sie hatten ihre liebe Mühe, immer genug Futter für die ganze Kinderschar herbeizuschaffen. Aber immer wurden alle satt.

Anfangs war das Fressen furchtbar anstrengend für Otto und er war immer sehr müde geworden. Mit vollem Bauch, von den warmen Federn der Spatzenmama bedeckt, zwischen den Geschwistern im Nest eingekuschelt, da ließ es sich wieder gut schlafen. Doch je größer die sechs Spatzenkinder wurden, desto mehr Futter brauchten sie. Jetzt waren oft beide Eltern fast den ganzen Tag unterwegs auf Futtersuche. Und so ein Wurm, wie sie ihn dann brachten, reichte auch für Otto kaum noch, um satt zu werden. Eng wurde es langsam im Nest. Und Streit gab es unter den Geschwistern. Sie stritten darum, wer wohl heute die größte Raupe bekommen habe und ob der Vater die Spatzenmädchen bevorzuge.

Immer öfter reckte Otto seinen Kopf über den Nestrand hinaus und warf neugierige Blicke in die große, weite Welt außerhalb seines Nestes. Wenn er nach oben durch das Blätterdach des Haselbusches blickte, sah er den weiten Himmel über sich. Und wenn er nach unten über den Nestrand schaute, sah er die grüne Wiese unter sich. Und er spürte in sich den Wunsch zu fliegen. Aber es meldete sich auch die Sorge in seinen Gedanken: Werde ich wohl genug zu fressen finden in der großen Welt. Werde ich jeden Abend einen sicheren Ort zum Schlafen haben? Werde ich Freunde finden in der Fremde? So träumte und grübelte Otto vor sich hin.

Eines Tages nun kam ein Mann, den Otto noch nie zuvor gesehen hatte. Eine ganze Vogelschar bevölkerte plötzlich den Haselbusch und all die anderen Bäume und Büsche ringsherum. Die Vögel hatten gar keine Angst vor dem fremden Mann in seinem langen, braunen Mantel.

Als der Mann zu sprechen begann, verstummten alle Vögel. Kein Pfeifen und Zwitschern war mehr zu hören. Otto, der kleine Spatz, lauschte zusammen mit all den anderen Vögeln und verstand jedes Wort: »Meine lieben Schwestern und Brüder, ihr Vögel, ich muss euch etwas sagen: Euch, meine gefiederten Freunde, euch hat Gott ganz besonders lieb. Ihr könnt euch in die Lüfte schwingen, schweben, segeln, fliegen. Schöne bunte Gewänder hat der Herr euch gegeben. Ein warmes Federkleid umhüllt euch. Ihr sät nicht, ihr erntet nicht und müsst doch keinen Hunger leiden. Die klare Quelle, das Wasser im Bach, die stillen euren Durst. Ihr baut eure Nester in Felshöhlen, unter Hausdächern und in den Baumkronen. Und dazu besitzt ihr eure klaren, hellen Stimmen. Das alles hat euch Gott geschenkt. Euch, ihr Vögel des Himmels, hat Gott in sein Herz geschlossen. Er sorgt für euch vom Morgen bis zum Abend und jeden Tag eures Lebens.«

All den Vögeln schien die Rede des fremden Mannes, den sie Franziskus nannten, wohl zu gefallen. Denn alle zusammen stimmten ihr Lied an und sie erfüllten die Luft mit ihrem Gesang. Auch Otto zwitscherte eine Weile fröhlich mit. Dann schlief er müde und glücklich ein. Und einen Gedanken nahm er mit hinüber in seine Träume: Morgen! Morgen würde er fliegen lernen und hinaus in die Welt fliegen ...

Ein Vogelnest entdecken

Die Kinder sitzen im Kreis. Die Mitarbeiterin legt ein – in ein braunes Tuch gehülltes – Vogelnest in die Mitte des Kreises (am besten ein echtes oder auch ein gebasteltes – wie S. 107 beschrieben).

Einzelne Kinder berühren das »Päckchen« sachte, sie fühlen und lauschen dabei. Sie äußern erste Vermutungen, was sich im Tuch verbergen könnte. Das Vogelnest wird Schritt für Schritt »enthüllt«: Die Kinder packen das »Päckchen« nacheinander langsam aus, indem ein Kind nach dem anderen je einen Tuchzipfel umschlägt. Die Leiterin schaut das Vogelnest genau an, berührt es sanft und umfährt die Rundung sachte mit ihren Händen. Alle Kinder, die Lust haben, folgen eins nach dem anderen ihrem Vorbild. Im Anschluss erzählen die Kinder von ihren Erlebnissen mit Vogelnestern und Vogeljungen.

Fingerspiel: Zwei Vöglein schlafen im Nest

Zwei Vöglein schlafen im Nest ganz fest.	*Beide Hände bilden das Vogelnest. Die beiden Daumen liegen als Vöglein im Nest.*
Das erste erwacht,	*Ein Daumen richtet sich auf,*
flattert und lacht,	*bewegt sich ein wenig,*
fliegt ein Stück,	*die erste Hand fliegt davon*
und fliegt ins Nest zurück.	*und kommt zurück.*
Das zweite erwacht,	*Der zweite Daumen richtet sich auf,*
flattert und lacht,	*bewegt sich ein wenig,*
fliegt ein Stück,	*die zweite Hand fliegt davon*
und fliegt ins Nest zurück.	*und kommt zurück.*
Nun fliegen sie beide durch Wald und Heide, sie lachen vor Glück	*Beide Hände fliegen gemeinsam …*
und fliegen zurück.	*und kommen zurück.*
Zwei Vöglein schlafen im Nest, ganz fest.	*Die Daumen legen sich wieder ins Vogelnest zurück.*

Gruppenspiel zum Vogelnest

Die Kinder knien im Kreis. Aus einer Wolldecke oder einem braunen Tuch wird in der Kreismitte ein Vogelnest geformt. Eines oder mehrere Kinder dürfen die Eier im Nest sein. Sie machen sich dazu ganz klein.

Die Kinder, die im Kreis stehen, rücken ganz eng zusammen und wärmen mit ihren Händen die Rücken der »Eierkinder«. Die Mitarbeiterin/der Mitarbeiter erzählt dazu vom Brüten der Vogeleltern sowie vom Ausschlüpfen und vom Flüggewerden der Vogelkinder. Dabei sprengen die Vogelkinder ihre Schale, räkeln sich, richten sich auf und fliegen schließlich aus dem Nest.

Dann werden die Rollen getauscht, und das Spiel beginnt von neuem.

Gottes Hand hält uns fest

Text und Kanon für 4 Stimmen:
Bernd Schlaudt

Bastelanleitung für Vogelnester

Materialliste

Hellbraunes Tonpapier, Heftapparat, Material zum Auspolstern (Heu, Watte, Moos, Märchenwolle, Federchen)

Zuerst machen wir ein Nest aus Papier: Die Vorlage (siehe Seite 111) wird auf hellbraunes Tonpapier übertragen. Wenn man die Linien vom Rand her bis zur Linie des inneren Kreises einschneidet, lassen sich die Außenflächen in Pfeilrichtung übereinander schieben. Die bis zu den kleinen Markierungskreisen übereinander geschobenen Laschen werden mit dem Heftapparat zusammengeheftet. Nun kann das kleine Nest mit unterschiedlichem Material ausgepolstert werden.

Schlussgebet

Lieber Gott,
wir fühlen uns in deinen Händen geborgen wie ein Vogel im Nest.
Dafür danken wir dir.
Wie die Vogeleltern ihre Jungen, so versorgst du uns.
Wir haben genügend zu essen und ein warmes Bett.
Dafür danken wir dir.
Und wir bitten dich: Beschütze und bewahre alle Kinder dieser Erde.
Amen.

2. Einheit

Hinführung zur Erzählung mit einem Bodenbild

Materialliste für das Bodenbild

Ein ockerfarbenes Tuch, einige Steine und eine Hand voll Sand, eine Kerze. Außerdem soll jedes der Kinder etwas »Manna« zum Probieren bekommen. »Manna« ist auf Vorbestellung in jeder Apotheke erhältlich.

Die Wüste entdecken

Die Kinder sitzen im Kreis. Das Bodenbild wird aufgebaut. Die Kinder erzählen, was ihnen dazu einfällt. Auf Anleitung heben alle die Hände hoch und lassen die Sonne heiß über der »Wüste« scheinen.

Die Mitarbeiterin erzählt von der Hitze in der Wüste, dass dort kaum Pflanzen wachsen und dass nur die Menschen, die immer in der Wüste leben sich dort so auskennen, dass sie genug zu essen und zu trinken finden.

Die Kinder spielen »Karawane« durch die Wüste. Sie ziehen in einer Reihe durchs Zimmer umher und vergegenwärtigen sich, wie sie Hunger und Durst leiden, wie sie sich den Schweiß von der Stirn wischen und sich den hungrigen Magen reiben.

Die Geschichte

Mitmach-Erzählung »Die Geschichte vom Himmelsbrot«

Lange schon wanderte die kleine Lea mit ihrer ganzen Familie durch die Wüste. Mose führte das ganze Volk an. Hinter ihm gingen alle her: die Mütter und Väter mit ihren Kindern und auch die Tiere. Lea war erst 6 Jahre alt. Und doch fühlte sie sich, als gehörte sie schon zu den Großen – anders als ihr kleiner Bruder und ihre beiden kleinen Schwestern. Viel hatten sie nicht mitnehmen können aus Ägypten, von wo sie hatten fliehen müssen. Die Zelte waren schon schwer genug, und ihre kleineren Geschwister wollten bald getragen werden. Zuerst war noch Brot im Bündel und Wasser in den Krügen. Aber irgendwann waren alle Vorräte aufgebraucht. Sie hatten kein Brot mehr zu essen.

Alle waren hungrig. Die Kleinen weinten und die Tiere schrieen vor Hunger. Auch Lea bettelte: »Mutter, hast du nicht noch ein Stückchen Brot für mich? Mein Magen knurrt und ich kann bald nicht mehr laufen!«

Da ging Leas Vater mit den anderen Männern des Volkes zu Mose und alle klagten:
»Wir sind hungrig. Gib uns zu Essen!«

(Alle Kinder formen aus ihren Händen eine offene Schale und rufen: »Wir haben Hunger! Gib uns Brot!«)

Manche waren wütend und schimpften: »Willst du uns verhungern lassen. Warum sind wir überhaupt aus Ägypten fortgezogen? Dort hatten wir doch wenigstens genug zu essen!«

(Die Kinder rufen und bitten nochmals um Brot. Dann zündet die Leiterin die Kerze an und stellt sie in die Mitte des ockerfarbenen Tuches.)

Lea war gespannt, was Mose jetzt tun würde. Denn auch er hatte kein Brot mehr in seinem Bündel. Doch wie schon öfter sagte Mose einfach zu all den Leuten: »Lasst mich allein. Ich will zu Gott beten.« Und er ging mit hängenden Schultern davon. Als Mose zurückkam, da war sein Blick voller Hoffnung. Er rief alle Familien zu sich und sagte: »Morgen sollt ihr erfahren, dass Gott euch aus Ägypten geführt hat und zu euch hält. Er wird euch Brot schenken, das euch alle satt macht.« Keiner wollte das so richtig glauben und Leas Magen knurrte so laut, dass sie am Abend in ihrem Zelt kaum einschlafen konnte.

Als Lea am anderen Morgen erwachte, da waren alle schon ganz aufgeregt. Auf der Erde, draußen vor den Zelten, da lag etwas Feines, Knuspriges. Keiner wusste, was das zu bedeuten hatte. Doch Mose konnte es allen erklären: »Das ist das Brot, das Gott euch zu essen gibt. Sammelt davon so viel, wie jeder zum Essen braucht. Eine Schale voll für jeden. Jeder darf so viele Schalen holen, wie Menschen in seinem Zelt wohnen.« Sie nannten das Brot »Manna«. Es war weiß und schmeckte lecker, fast wie Honigkuchen. Lea konnte es kaum erwarten, bis sie ihre Schale in den Händen hielt. Endlich wieder etwas zu essen!

(Die Kinder halten ihre Hände als geöffnete Schale vor sich hin und bekommen einige Krümel Manna in die geöffneten Hände gelegt. Sie schmecken und genießen das süße »Himmelsbrot«.)

Manche hatten noch Sorge, wie es wohl am nächsten Tag sein würde. Doch von nun an fanden sie jeden Tag genug von diesem süßen Himmelsbrot, dem Manna. Mose sagte zum ganzen Volk Israel: »Dankt Gott und lobt ihn für seine Wunder. Er sorgt für Euch!« Und alle klatschten und tanzten und lobten Gott.

(Die Erzählung kann in gemeinsames Singen und Tanzen übergeführt werden.)

Ein Brot entdecken

Die Kinder sitzen im Kreis. Die Mitarbeiterin/der Mitarbeiter trägt einen in ein weißes Tuch gehüllten runden Brotlaib herbei. Sie/er befühlt ihn sorgsam und riecht genüsslich daran. Dann gibt sie/er das »Päckchen« an das Kind neben ihr/ihm weiter. Die Kinder folgen im Kreis herum ihrem/seinem Vorbild. Die Kinder äußern erste Vermutungen, was sich im Tuch verbergen könnte. Meistens fragen sie auch schon: »Dürfen wir das nachher essen?« Die Kinder packen das »Päckchen« der Reihe nach langsam aus, indem ein Kind nach dem anderen je einen Tuchzipfel umschlägt. Eine Gesprächsrunde über das Brot, über den Hunger nach Brot und über das Essen schließt sich an.

Für das Brot danken und miteinander teilen

Alle miteinander sprechen ein Tischgebet, z. B. »Alle guten Gaben« oder »Jedes Tierlein hat sein Essen« Eine Mitarbeiterin oder ein Mitarbeiter hält dabei das Brot auf dem Schoß und segnet es mit dem Kreuzzeichen. Alle teilen das Brot miteinander, indem jeder und jede für seinen rechten Nachbarn ein Stück abbricht und das Brot dann nach links weitergibt. Wenn alle ein Stückchen Brot in der Hand halten, wird gemeinsam gegessen.

Was wir brauchen gibt uns Gott

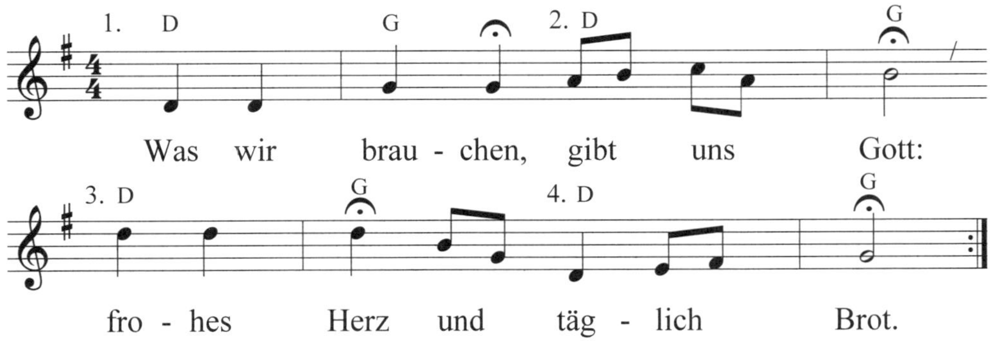

Text und Melodie:
mündlich überliefert

Brot, Brot, danke für das Brot!

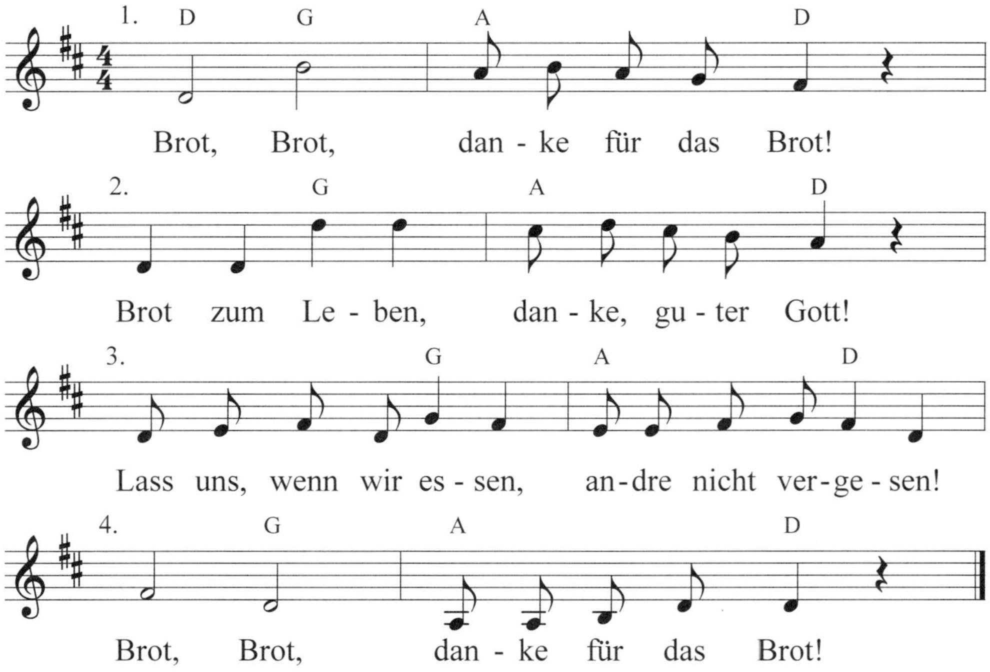

Text: Rolf Krenzer
Musik: Peter Janssens
aus: Ich schenk dir einen Sonnenstrahl, 1985

Tanzanleitung

(Die Kinder stehen im Kreis, in der Kreismitte befinden sich eines oder mehrere verschiedene Brote.)

Takt 1: *Alle weisen mit den Händen in die Mitte des Kreises.*
Takt 2: *Alle heben die Hände nach oben und öffnen dabei die Arme.*
Takt 3–6: *Alle reichen sich die erhobenen Hände und tanzen rechts herum.*
Takt 7–8: *wie Takt 1 und 2*

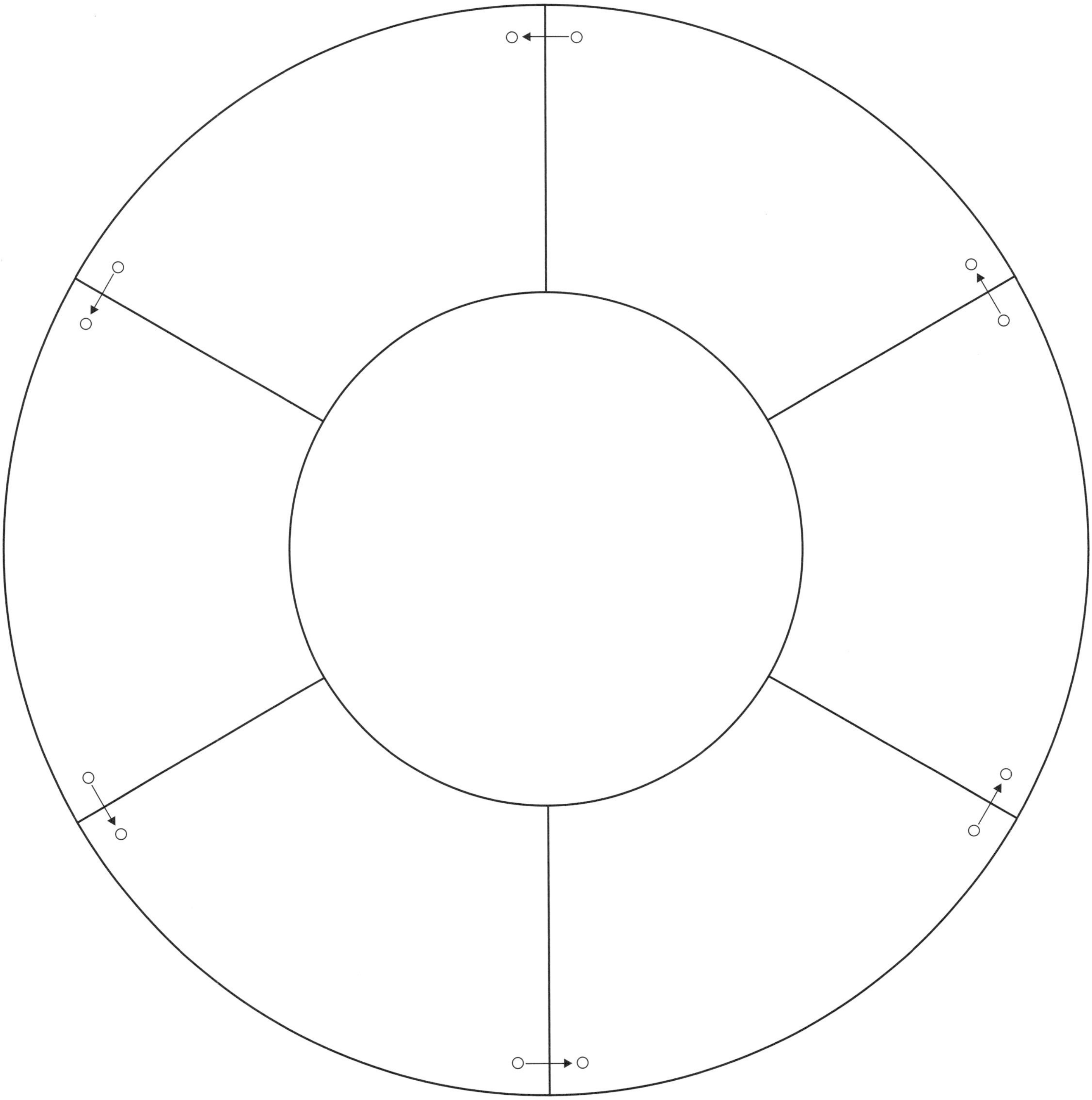

Kopiervorlage für das Vogelnest

Bezugsadressen für Material

Das nachfolgend genannte Material, das in den Modellen dieses Buches verwendet wird, kann bezogen werden bei:

Verlag Junge Gemeinde
Max-Eyth-Straße 13
70771 Leinfelden-Echterdingen
Tel. 0711/9 90 78-0; Fax 0711/9 90 78-25
E-Mail: vertrieb@junge-gemeinde.de
Internetshop: www.junge-gemeinde.de

Hochwertige **Legetücher** aus Baumwolle (70 x 70 cm).
Lieferbar sind derzeit:
Tücher-Set 1: sechs Tücher in den Farben gelb, rot, blau, violett, grün, schwarz
Tücher-Set 2: sechs Tücher in den Farben weiß, grau, marineblau, weinrot, ocker, braun

Chiffontücher (90 x 90 cm, Kunstseide) Fünf Tücher in den Farben rot, grün, violett, schwarz und weiß als Set

Holzkreuz klein (7,5 cm, Buche)

Gestaltungs-Kreuz (30 cm lang, Querbalken 22 cm breit, Birke) mit Vorlagenblatt zum Gestalten und Bemalen der 5 cm breiten Flächen des Kreuzes.

Baumwoll-Kordel (6 mm stark, 10 m lang) zur Gestaltung von Wegen (s. S. 11ff. + 21 in diesem Buch).

Holzkegel-Figuren. Lieferbar als Sets mit je 10 Kegeln in der Höhe 5 cm oder 7 cm. Damit kann jede Person in Szene gesetzt werden.

Rose von Jericho wird einzeln in stabiler Pappschachtel geliefert.

Federn, 12 farbige Hühner-Federn im Beutel (12–16 cm lang)

Kreativtasche: Für die Gestaltung ▷ von Bodenbildern gibt es eine Grundausstattung mit Legematerial in einer praktischen schwarzen Nylontasche.
Inhalt: Tücher-Set 1, Kerze mit 4 Verzierwachs-Plättchen, Keramik-Kranz, Holzkegel-Figuren (5 cm), Holzstäbe (60 mm lang), Holzscheiben (40 mm Durchmesser), 2 Glastropfen (klar, 5 cm lang), Glasnuggets im Netz, Federn, Baumwoll-Kordel und das Anleitungsheft »Feiern mit allen Sinnen«

RPA-Verlag
Religionspädagogische Arbeitshilfen GmbH
Gaußstraße 8, 84030 Landshut
Tel. 0871/7 32 37; Fax 0871/7 39 96
Internet: www.rpa-verlag.de

Führt ein breites Angebot von Legematerialien, insbesondere auch Legetücher aus Baumwolle, Nyloncrepetücher, Filzdecken.

Verlag Der Jugendfreund
Max-Eyth-Straße 13
70771 Leinfelden-Echterdingen
Tel. 0711/9 78 78 70; Fax 0711/9 78 78 76
E-Mail: auslieferung@jugendfreund.de
Internetshop: www.jugendfreund.de

Stumpenkerzen mit Verzierwachsplättchen
120 mm lang, 50 mm dick, mit Wachsplättchen (80 x 90 mm) in den Farben blau, grün, rot und gold. Dazu Motiv-Vorlagen auf vier DIN-A-4-Seiten. Verpackt als Set in einem Kunststoff-Beutel.